직업계고(특성화고, 마이스터고)를 위한

면접완성100
간호조무사 편

항목별 질문

공통 질문

지원기관 : 부산대학교병원   *직무 : 간호조무*

질문. 1   자기소개를 부탁드립니다.

답변 요령. 자신만의 색깔이 담긴 자기소개가 없다면 아래 순서로 말하는 것을 추천한다. 첫 문장에서 면접관의 관심을 끌 수 있다면 일단 반은 성공이다.

어그로 끌기(첫 문장)	우선 순위 숫자가 119인 지원자
하고 싶은 일(직무 관심도)	전문 지식을 가지고 사람들에게 도움이 되는 일
역할(나만의 강점)	빠르고 냉철한 문제 해결 능력과 성실함
증거(경력, 경험)	119 신고로 친구를 구한 경험, 실습 시절 빠른 일처리 속도
입사 후 포부 (현실 가능, 회사 비전과 일치)	뇌보다 몸에 할 일을 새기고, 궂은 일에 앞장 서는 인재

대본   (40초 ~ 1분)

안녕하십니까! 우선 순위 숫자가 119인 지원자 XXX입니다. 전문적 도움이 필요한 사람들에게 꼭 필요한 도움을 전달하고 싶어 간호조무직에 지원하게 되었습니다. 평소에 말보다 행동이 빠른 편이라 고등학교 1학년 즈음 손을 심하게 다친 친구를 위해 발빠르게 119 신고를 해서 구한 적도 있고, 병원에서 실습을 할 때도 주어진 일 처리 속도가 빨라 동기들 중에서 가장 많은 업무량을 차지하기도 했습니다. 힘들기도 했지만 능력 향상 속도가 가장 빠른 시기이기도 했습니다. 본원에서도 가장 먼저 궂은 일에 앞장서고, 행동으로 뇌보다 몸에 할 일을 새기는 간호 조무사로 모두에게 도움이 되는 인재가 되고 싶습니다. 감사합니다.

질문 뽑기.

번호	질문	대답
#1	일반 도움이 아니라 꼭 전문적 도움을 줘야겠다고 다짐한 계기가 있을까요?	좋아하는 과목이 과학 중에서도 화학입니다. 그래서 제가 잘하는 과목과 좋아하는 일을 접목해 할 수 있는 일을 찾은 것이 간호조무사였습니다.
#2	119신고를 해서 친구를 구한 사례를 자세히 듣고 싶어요.	학교에서 실습하던 중 친구가 손을 심하게 다쳤습니다. 하필 담당 선생님도 안 계셔서 다른 친구에게 119신고를 부탁하고, 붕대를 사용해 지혈을 시켰던 경험이 있습니다.
#3	병원 실습 때 일 처리 속도가 빨랐던 사례를 듣고 싶어요.	평소에 청소와 정리를 좋아하는 편이라 그런지 침구 정리가 빨랐습니다. 그래서 환자가 입원하거나 퇴원하는 경우 세팅과 정리를 주로 제가 했었습니다.
#4	병원 실습 때 어떤 업무를 주로 했나요?	병원에 있는 의료 기구 청소와 침구 세팅 등 환경 정리를 주로 했고, 환자와의 접점에서는 혈압과 온도 체크 등 활력 징후 조사를 주로 했습니다.
#5	뇌보다 몸에 할 일을 새긴다는 게 어떤 의미죠?	공부도 좋아하지만 새로운 도전을 즐기다 보니 시행착오로 몸에 먼저 일을 익히는 경우가 많습니다. 그래서 늘 솔선수범하겠다는 의지로 말씀드렸습니다.

공통 질문

지원기관 :   *직무 :*

질문. 1   **자기소개를 부탁드립니다.**

답변 요령. 자신만의 색깔이 담긴 자기소개가 없다면 아래 순서로 말하는 것을 추천한다. 첫 문장에서 면접관의 관심을 끌 수 있다면 일단 반은 성공이다.

어그로 끌기(첫 문장)	
하고 싶은 일(직무 관심도)	
역할(나만의 강점)	
증거(경력, 경험)	
입사 후 포부 (현실 가능, 회사 비전과 일치)	

대본   (40초 ~ 1분)

질문 뽑기.

번호	질문	대답
#1		
#2		
#3		
#4		
#5		

지원기관 : 삼성서울병원   **직무 :** 간호조무

질문. 2   **이 직무에 지원하게 된 동기는 무엇입니까?**

답변 요령.	일에 대한 열정과 회사에 대한 관심도를 묻고 있다. 본인이 갖고 있는 기술과 경험, 그리고 구체적 미래 계획까지 같이 제시할 수 있다면 좋다.

유사 질문	당신이 이 직무에 접합하다고 생각하는 이유는 무엇입니까?
	이 직업에 흥미를 갖게 된 이유가 무엇입니까?

대본	제 최애 프로그램은 2016년까지 '위기탈출 넘버원'이었습니다 가장 좋아하는 책도 <Why? 응급처치> 편이었습니다. 왠지 모르게 사람을 도움과 동시에 그 상황을 해결할 수 있는 능력이 나에게 있음을 아는 즐거움이 꽤 컸습니다. 그래서 어렸을 적 꿈은 소방관이기도 했습니다. 지금은 환자를 운반할 정도의 체력까지는 아니지만, 환자를 케어하기 위한 정신력과 체력은 충분히 키워왔습니다. 본원에서도 제가 맡은 직무에서는 넘버 원이 될 수 있도록 일을 즐기며 성장하도록 하겠습니다. 감사합니다.

꼬리 질문 1	소방관의 꿈을 포기한 이유는요?	초등학교 때 육상부를 했을 만큼 체력에 자신이 있었는데 발목 부상으로 운동을 그만두게 되었습니다. 이후로 체력 부담이 큰 소방관은 오히려 동료들에게 부담을 줄 것 같아 마음을 접게 되었습니다.
꼬리 질문 2	정신력과 체력은 어떻게 키워왔나요?	매일 저녁 식사 후 30분 이상 집 주변을 걷고, 일주일에 3번 이상은 근력 운동으로 스트레스와, 몸 관리를 동시에 진행하고 있습니다.

지원기관 : 아주대학교병원   **직무 :** 간호조무

질문. 3   **왜 꼭 우리 병원이어야 하죠?**

답변 요령.	지원한 곳에 대한 지식과 관심도를 파악하고, 해당 조직에 적합한 인재인가를 평가하기 위함이다. 최대한 많은 정보를 취합해서 정리하여야 한다.

유사 질문	저희 병원과 서비스에 대해 무엇을 알고 있죠?

대본	본원은 최첨단 의료 기술과 종합적인 서비스에 대한 투자에 집중하고 있는 것으로 알고 있습니다. 당장 가까운 미래에 인공지능과 로봇과의 협업이 중요해진 지금 저 또한 이곳에서의 성장이 가장 기대가 되기 때문에 지원했습니다. 　이곳에서 지속적인 기술 전문 개발 및 교육에 중점을 두어 종사하는 이들에게 많이 기회를 주는 것도 제 선택의 이유 중 하나입니다. 합격이 된다면 환자 정보 관리, 치료 서비스 지원, 환자 상담 제공 등 지속적이 학습과 환자 중심 치료에 헌신하겠습니다. 감사합니다.

꼬리 질문 1	우리 병원에서 최종 목표가 무엇인가요?	일단은 간호조무사로서의 역할을 훌륭히 수행하는 것이고 장기적으로는 의료팀 내에서 더 많은 책임을 맡고 싶습니다. 관련 자격과 전문성을 강화해서 새로운 간호조무사를 멘토링하고, 안내할 수 있는 리더가 되고 싶습니다.
꼬리 질문 2	우리 병원에서 하는 교육 중 어느 분야에 가장 많은 관심이 있을까요?	간호조무사를 위한 교육 중 '효과적인 의사소통과 공감적인 환자 관리'를 주제로 6주 과정 교육이 있다고 들었습니다. 우선은 이 과정에서 기본 자세와 마인드를 먼저 배우고 싶습니다.

공통 질문

질문. 2   **이 직무에 지원하게 된 동기는 무엇입니까?**

답변 요령.   일에 대한 열정과 회사에 대한 관심도를 묻고 있다. 본인이 갖고 있는 기술과 경험, 그리고 구체적 미래 계획까지 같이 제시할 수 있다면 좋다.

유사 질문	당신이 이 직무에 접합하다고 생각하는 이유는 무엇입니까? 이 직업에 흥미를 갖게 된 이유가 무엇입니까?	
대본		
꼬리 질문 1		
꼬리 질문 2		

질문. 3   **왜 꼭 우리 병원이어야 하죠?**

답변 요령.   지원한 곳에 대한 지식과 관심도를 파악하고, 해당 조직에 적합한 인재인가를 평가하기 위함이다. 최대한 많은 정보를 취합해서 정리하여야 한다.

유사 질문	저희 병원과 서비스에 대해 무엇을 알고 있죠?	
대본		
꼬리 질문 1		
꼬리 질문 2		

공통 질문

지원기관 : 인하대학교병원   **직무 :** 간호조무

질문. 4   특기나 취미가 있을까요?

답변 요령. 지원자의 일과 삶의 균형을 평가하기 위한 질문이다. 직무와 관련하여 다른 지원자와 차별화된 경험과 관점을 보여주면서도 명확한 미래 목표를 같이 제시하면 좋다.

유사 질문	여가 시간엔 보통 무엇을 하나요? / 스트레스를 어떻게 관리하고 휴식을 취하시나요? 업무 외에 관심 분야가 있나요? / 귀하의 취미나 관심 사항이 이 역할과 일치합니까?	
대본	제 취미 중 하나는 아이를 돌보는 것입니다. 부모님이 어린이집을 운영하셔서 어렸을 때부터 아이들과 많은 시간을 보냈습니다. 그래서 아이들과 소통하고, 그들의 필요를 이해하고, 다양한 상황에서 위로와 지원을 제공하는 방법을 배웠습니다. 따라서 기회가 된다면 소아과에서 간호조무사의 역할을 다하고 싶습니다. 아이들에게 신뢰를 쌓고 편안한 환경을 조성하는 능력은 의료 분야에서 중요한 자질인 책임감과 세부 사항에 챙기기에 큰 장점이 될 수 있을 거라 생각합니다. 감사합니다.	
꼬리 질문 1	아이를 돌보면서 어려웠던 상황을 해결했던 방법을 예로 들어 줄 수 있나요?	한 번은 5살 남자아이가 울음을 멈추지 않는 상황이 있었습니다. 저는 아이에게 다가가 눈을 맞추고 이유를 물었습니다. 저는 재미있는 활동으로 안심시키면서 부모가 오실 때까지 아이를 달랬습니다. 이 경험으로 인내심과 효과적인 의사소통의 중요성을 배웠습니다.
꼬리 질문 2	아이들과의 경험이 이 역할에서 어떻게 도움이 될까요?	아이들과의 경험을 통해 강한 의사소통 기술, 인내심, 그리고 편안한 환경을 조성하는 능력을 개발했습니다. 이렇게 쌓은 역량은 신뢰를 쌓고 안전한 환경을 제공하는 것이 중요한 소아과 간호조무사 역할에 큰 도움이 될 거라 생각합니다.

지원기관 : 서울대학교병원   **직무 :** 간호조무

질문. 5   휴식 시간에는 보통 뭘 하나요?

답변 요령. 일과 삶의 균형을 맞추는 기준과 대처 메커니즘을 알고자 함이다. 건강, 긍정적 활동, 자기 개발, 스트레스 관리, 사회적 상호 작용 등의 요소 중 본인에게 가장 근접한 강점을 찾아 어필하라.

유사 질문	직장 외에 취미나 관심사는 무엇입니까? / 일과 삶의 균형을 어떻게 유지하나요? 여가 시간에는 무엇을 하면서 즐기시나요? / 적절한 휴식을 위해 시간을 어떻게 관리합니까?	
대본	개인적으로는 재충전하고 집중력을 유지하는 데 도움이 되는 활동을 좋아합니다. 시간이 날 때마다 집 근처에서 산책하는데, 중간 코스 즈음에서 커피를 마시며 책을 펼치고 독서광 코스프레를 하는 것이 제 가장 큰 행복 중 하나입니다. 수다도 즐기는 편입니다. 친숙한 만남도, 낯선 만남도 같이 즐기며 그들과 공유할 수 있는 새로운 경험에도 흥미가 많습니다. 저는 전반적으로 휴식이 삶의 균형을 유지하고 활력을 유지하는 데 도움이 된다고 생각하여 일부러 챙기는 편입니다 특히 요즘 자기 개발 시간으로도 활용하는데 직무 관련 역량을 갖추기 위해 관련 책을 읽거나 온라인 강의를 듣는 등 학습 기회를 활용하고 있습니다. 감사합니다.	
꼬리 질문 1	휴식 시간에 예상치 못한 방해가 발생하면 어떻게 처리하나요?	긴급한 문제라면 즉시 문제를 해결하고 시간이 허락하면 휴식을 재개합니다. 긴급하지 않은 경우에는 메모 후 뒤에 해결한 다음 피드백으로 정리를 해두는 편입니다.
꼬리 질문 2	작업 완료 시간과 휴식 사이의 균형을 어떻게 맞추나요?	긴급성과 중요도에 따라 작업의 우선순위를 정하고 우선순위가 높은 작업에 집중된 시간을 할당합니다. 그리고 재충전을 위해 전략적으로 짧은 휴식 시간을 취하는 편입니다.

지원기관 :　　　　　　　　　　*직무 :*

질문. 4　　　**특기나 취미가 있을까요?**

　　답변 요령.　지원자의 일과 삶의 균형을 평가하기 위한 질문이다. 직무와 관련하여 다른 지원자와 차별화된 경험과 관점을 보여주면서도 명확한 미래 목표를 같이 제시하면 좋다.

유사 질문	여가 시간엔 보통 무엇을 하나요? / 스트레스를 어떻게 관리하고 휴식을 취하시나요? 업무 외에 관심 분야가 있나요? / 귀하의 취미나 관심 사항이 이 역할과 일치합니까?	
대본		
꼬리 질문 1		
꼬리 질문 2		

지원기관 :　　　　　　　　　　*직무 :*

질문. 5　　　**휴식 시간에는 보통 뭘 하나요?**

　　답변 요령.　일과 삶의 균형을 맞추는 기준과 대처 메커니즘을 알고자 함이다. 건강, 긍정적 활동, 자기 개발, 스트레스 관리, 사회적 상호 작용 등의 요소 중 본인에게 가장 근접한 강점을 찾아 어필해라.

유사 질문	직장 외에 취미나 관심사는 무엇입니까? / 일과 삶의 균형을 어떻게 유지하나요? 여가 시간에는 무엇을 하면서 즐기시나요? / 적절한 휴식을 위해 시간을 어떻게 관리합니까?	
대본		
꼬리 질문 1		
꼬리 질문 2		

지원기관 : 신촌세브란스병원　　　　　*직무 :* 간호조무

질문. 6　　본인의 장점과 단점을 말해주세요.

답변 요령. 객관적 자기 인식 능력이 있는가?'를 묻는 문제다. 직무에 도움이 되는 단점과 장점이어야 한다. 갖고 있는 역량뿐 아니라 지속적인 개발의 의지와 함께 팀과 조직에도 기여할 수 있는 능력을 어필해라.

유사 질문	본인의 가장 큰 장점은 무엇입니까? / 약점은 어떻게 관리하시나요? 실패를 했거나 실수를 저질렀던 경험이 있습니까? / 약점을 강점으로 바꾼 경험이 있나요?
대본	평소에 easygoing하다는 소리를 많이 듣습니다. 너무 여유로운 성격 탓에 주위에서 걱정하는 소리도 많았습니다. 하지만 여유를 포기하고 싶지 않아 평소에 준비를 철저히 하는 편입니다. 등교 시간보다 30분 일찍 나와서 출발을 하고, 학교 과제를 준비하는 데 있어서도 마감 일주일 전에 미리 끝내고 검토하는 시간을 가졌습니다. 실습을 할 때도 선배 조무사에게 제 할 일 목록을 미리 받고서, 지시가 내려오기 전 미리 일을 끝냈기에 하나의 사고도 없이 무사히 실습을 마칠 수 있었습니다. 이렇게 시간을 미리 계획하고, 실행에 옮기고, 실수 없이 제가 해야할 일을 완수하는 것. 다르게 말하면 이게 제가 가진 여유의 장점이라고 생각합니다.

꼬리 질문 1	자신의 학교생활 중 가장 자랑하고 싶은 경험이 있나요?	고등학교 3학년 초기에 건강 인식 캠페인을 조직하고 이끌었던 적이 있습니다. 저뿐만이 아니라 친구들의 건강을 주도하면서 같이 식단을 조절하고, 운동하면서 체지방을 줄였던 기억이 많이 남습니다.
꼬리 질문 2	본인의 여유로운 성격이 팀워크나 동료와의 협업에 부정적 영향을 미칠 수 있지 않을까요?	제 여유로움은 저뿐만이 아니라 팀이 목표로 하는 것에 대한 준비가 끝났을 때 시작됩니다. 결과 후 다른 목표 사이의 여유라서 과정 중에는 세밀하게 준비하고 실행함으로써 긍정적 영향을 팀에 전하겠습니다.

지원기관 : 가천대길병원　　　　　*직무 :* 간호조무

질문. 7　　왜 우리가 당신을 뽑아야 할까요?

답변 요령. 역할과 조직에 얼마나 맞는 사람인지 적합성을 평가함과 동시에, 맡고자 하는 역할에 대한 자신감을 묻는 것이기에 당당히 본인만의 기술, 경험, 자질 등을 발표한다.

유사 질문	본인이 이 직책에 가장 적합한 후보라고 생각하는 이유는? / 다른 지원자들과의 차별점은 무엇입니까? 우리 팀에 어떻게 기여할 수 있나요? / 당신의 주요 강점은 무엇이며, 이 역할에 어떻게 도움이 될까요?
대본	저의 경청 능력을 어필하고 싶습니다. 작년 병원 실습 중 가장 기억에 남는 칭찬 중 하나는 '종을 울릴 필요가 없다'는 환자분의 칭찬이었습니다. 실습 과정에서 환자의 요구에 세심히 반응하고 준비해서 환자의 신뢰를 얻는 것을 최우선으로 삼았는데, 이 부분이 본원의 '고객 중심' 진료 핵심 가치와 일정 부분 일치한다고 생각합니다. 　저의 적극적인 접근 방식, 강력한 의사소통 기술, 환자 치료에 대한 헌신을 통해 저는 이 병원에 효과적으로 기여하고 환자에게 탁월한 서비스를 제공할 자신이 있습니다. 감사합니다.

꼬리 질문 1	환자가 적을 때는 경청이 쉬울 수 있지만, 이야기를 들을 시간이 없을 정도로 환자가 넘칠 때 어떻게 대응할 건가요?	환자 수가 많고 시간이 제한된 상황에서는 우선순위 설정과 효율적인 의사소통이 중요합니다. 따라서 급한 일이 있을 때는 환자에게 동의를 구하고 선배나 동료에게 업무 분담 방식으로 부탁을 한 다음 후속 조치를 하도록 하겠습니다.
꼬리 질문 2	환자가 현재 받고 있는 진료에 만족하지 못하는 상황이라면 어떻게 처리할 생각인가요?	먼저 적극적인 경청을 하고 공감과 인정을 하겠습니다. 그리고 문제 조사를 한 다음에는 다른 의료 전문가와 함께 해결책을 제공하겠습니다. 마지막으로는 지속적인 후속 조치로 같은 문제가 생기지 않도록 시스템을 바로 잡겠습니다.

공통 질문

질문. 6　　　**본인의 장점과 단점을 말해주세요.**

답변 요령.　객관적 자기 인식 능력이 있는가?'를 묻는 문제다. 직무에 도움이 되는 단점과 장점이어야 한다. 갖고 있는 역량뿐 아니라 지속적인 개발의 의지와 함께 팀과 조직에도 기여할 수 있는 능력을 어필해라.

유사 질문	본인의 가장 큰 장점은 무엇입니까? / 약점은 어떻게 관리하시나요? 실패를 했거나 실수를 저질렀던 경험이 있습니까? / 약점을 강점으로 바꾼 경험이 있나요?	
대본		
꼬리 질문 1		
꼬리 질문 2		

질문. 7　　　**왜 우리가 당신을 뽑아야 할까요?**

답변 요령.　역할과 조직에 얼마나 맞는 사람인지 적합성을 평가함과 동시에, 맡고자 하는 역할에 대한 자신감을 묻는 것이기에 당당히 본인만의 기술, 경험, 자질 등을 발표한다.

유사 질문	본인이 이 직책에 가장 적합한 후보라고 생각하는 이유는? / 다른 지원자들과의 차별점은 무엇입니까? 우리 팀에 어떻게 기여할 수 있나요? / 당신의 주요 강점은 무엇이며, 이 역할에 어떻게 도움이 될까요?	
대본		
꼬리 질문 1		
꼬리 질문 2		

지원기관 : 서울성모병원   *직무 : 간호조무*

질문. 8   마지막으로 하고 싶은 말 있나요?

답변 요령. 마지막으로 지원자의 열정과 적합도를 평가하고, 의심스러운 점을 명확히 하기 위함이다. 감사 마음을 먼저 표현하고, 직무와 기관에 관한 관심, 나만의 강점과 입사 후 포부까지 강력히 어필해라.

유사 질문	추가로 말씀하실 것이 있나요? / 우리가 당신을 채용해야 하는 이유는 무엇인가요? 우리에게 질문할 것이 있나요? / 우리가 다루지 않은 이야기를 하고 싶은 게 있나요?

대본	간호조무사 자리에 대한 면접 기회를 주셔서 대단히 감사합니다. 마지막으로 본원에 꼭 필요한 사람임을 어필하기 위해 저의 강점을 요약하여 전달하고 싶습니다. 3년 가까이 관련 계열을 공부하며 직무기술서에 명시된 의료 용어 및 의료 절차에 대해 많은 준비가 되어 있다고 생각합니다. 또한, 직업 훈련을 통해 환자 치료에 대한 탄탄한 기초를 다졌다고 생각합니다. 환자 치료를 위해 헌신하겠다는 저 자신의 가치와 직업적 열망이 있습니다. 그리고 저의 적극적인 접근 방식, 강력한 의사소통 기술, 지속적인 학습에 대한 의지가 이 병원의 사명을 지원할 자신이 있습니다. 꼭 이곳에서 함께 일하고 싶습니다. 감사합니다.

꼬리 질문 1	어떤 직업 훈련으로 기초를 다졌나요?	활력 징후 측정, 기본 응급 처치, 환자 이동 보조 등에 대한 훈련을 받았습니다. 또한, 의료 용어에 관해 철저히 공부했으며, 컴퓨터 활용 능력을 키우기 위해 자격증 관련 공부도 꾸준히 진행해 왔습니다.
꼬리 질문 2	강력한 의사소통 능력은 어떻게 증명할 수 있을까요?	저희 가족은 저녁 식사 때 본인의 하루 일과를 말하고 또 경청하는 문화가 있습니다. 또한, 매일 메모하는 습관 때문에 정확한 정보를 전달하면서도 공감 어린 대화를 나눌 자신 있습니다.

지원기관 : 부산대학교병원   *직무 : 간호조무*

질문. 9   취업을 위해 어떤 준비를 했나요?

답변 요령. 준비의 방향성이 기관에서 요구하는 직무의 책임 및 요구 사항과 일치하는지 확인하는 질문이다. 최대한 직무 기술서에 적힌 '기술, 경험, 지식'에 근거하여 실제 경험을 더한 다음 답하도록 한다.

유사 질문	취업을 준비하며 어떤 교육을 받았나요? / 직무 관련 자격증이나 인증이 있나요? 이 직무에 꼭 필요한 자질은 무엇이라고 생각하나요? / 당신의 경력이 이 직무에 어떻게 도움이 될까요?

대본	교과 과정을 통해 환자 치료, 의료 용어 및 의료 절차에 대한 기초 지식을 학습했습니다. 그리고 실습 기간 동안 임상 환경에서 실무 경험을 쌓았습니다. 그 기간 동안에 환자 상담 관리, 외래 환자 접수 및 안내, 의료 장비 청소 및 소독과 같은 업무를 맡으며 철저한 준비와, 세부 사항에 대한 관심, 효과적인 의사소통의 중요성을 배울 수 있었습니다. 또한 간호조무사로서의 자격을 강화하기 위해 관련 자격증을 취득했고, 최신 의료 뉴스에 대한 업데이트를 꾸준히 진행하며 갖고 있는 지식과 기술을 향상시키기 위해 노력해왔습니다. 이상입니다.

꼬리 질문 1	교육 과정에서 가장 힘들었던 부분은 뭐였나요?	고급 의학용어와 복잡한 의료 절차를 익히는 것이 힘에 부칠 때가 있었습니다. 반복 실습의 기회가 많지 않아 습관으로 만들기가 쉽지 않았는데 멘토·멘티 실습과 스터디 그룹을 만들어 공부함으로써 부담을 줄일 수 있었습니다.
꼬리 질문 2	실습 중 직면했던 어려움과 이를 어떻게 처리했는지 구체적인 예를 들어주실 수 있나요?	독감 백신을 맞으러 오시는 어르신들이 너무 많아 어려울 때가 있었습니다. 저는 동료들과 섹션을 나누어 좀 더 원활히 치료가 이루어지도록 환자들을 보조했고, 그 경험으로 적응력, 팀워크, 압박 속에서 차분한 태도의 중요성을 배울 수 있었습니다.

지원기관 :   *직무 :*

질문. 8   마지막으로 하고 싶은 말 있나요?

답변 요령. 마지막으로 지원자의 열정과 적합도를 평가하고, 의심스러운 점을 명확히 하기 위함이다. 감사 마음을 먼저 표현하고, 직무와 기관에 관한 관심, 나만의 강점과 입사 후 포부까지 강력히 어필해라.

유사 질문	추가로 말씀하실 것이 있나요? / 우리가 당신을 채용해야 하는 이유는 무엇인가요? 우리에게 질문할 것이 있나요? / 우리가 다루지 않은 이야기를 하고 싶은 게 있나요?	
대본		
꼬리 질문 1		
꼬리 질문 2		

지원기관 :   *직무 :*

질문. 9   취업을 위해 어떤 준비를 했나요?

답변 요령. 준비의 방향성이 기관에서 요구하는 직무의 책임 및 요구 사항과 일치하는지 확인하는 질문이다. 최대한 직무 기술서에 적힌 '기술, 경험, 지식'에 근거하여 실제 경험을 더한 다음 답하도록 한다.

유사 질문	취업을 준비하며 어떤 교육을 받았나요? / 직무 관련 자격증이나 인증이 있나요? 이 직무에 꼭 필요한 자질은 무엇이라고 생각하나요? / 당신의 경력이 이 직무에 어떻게 도움이 될까요?	
대본		
꼬리 질문 1		
꼬리 질문 2		

공통 질문

지원기관 : 삼성서울병원   *직무 :* 간호조무

질문. 10   취업 후 귀하의 경력 포부는 무엇입니까?

답변 요령.	본인의 경력 목표가 성장 및 기회 측면에서 회사가 제공할 수 있는 것과 일치하는지 확인함과 동시에 추진력이 있고, 전문성 개발 계획을 갖춘 후보자를 찾고자 하는 질문이다.

유사 질문	당신의 장기 계획은 무엇인가요? / 이곳에서 어떤 위치까지 올라가고 싶나요?
	이곳에서 5년 후 본인의 모습은 어떨까요? / 이곳에서 10년 후 본인의 모습은 어떨까요?

대본	취업 후 가장 먼저 이루고 싶은 목표는 간호조무사로서의 역할을 훌륭히 수행하는 것입니다. 교과 과정과 실습을 통해 얻은 기술과 지식을 활용하여 높은 수준의 간호조무사 역할을 할 계획입니다. 이후 단기적으로는 병원의 절차와 시스템을 철저히 이해하고 동료들과 돈독한 관계를 구축하며 실무 경험과 추가 교육을 통해 지속적으로 기술을 향상시키는 것이 제 목표입니다. 장기적으로는 의료팀 내에서 더 많은 책임을 맡고 싶습니다. 저는 특히 환자 상담 관리나 소아과 등의 분야를 전문적으로 연구하는데 관심이 많습니다. 따라서 관련 자격과 전문성을 강화하기 위해 추가 인증과 교육을 계속 진행할 계획입니다. 궁극적으로는 조직 내에서 지속적으로 성장하고, 탁월한 환자 치료를 제공하는 사명에 기여함으로써 새로운 간호조무사를 멘토링하고, 안내할 수 있는 리더가 되고 싶습니다. 이상입니다.

꼬리 질문 1	동료들과 어떻게 돈독한 관계를 구축할 계획인가요?	저는 공동의 목표가 있는 팀이 가장 단단하다고 생각합니다. 따라서 존중과 공감으로 동료들의 이야기를 먼저 듣고, 병원에 기여할 수 있는 방향성의 목표를 같이 만들고 싶습니다. 그렇게 저는 동기 부여와 긍정적인 태도를 담당하는 간호조무사이고 싶습니다.
꼬리 질문 2	구체적으로 어떤 추가 인증이나 교육을 취득하고 싶으십니까?	우선 기본 생활 지원(BLS) 인증, 상처 관리 인증, PALS(소아 고급 생활) 인증을 목표로 공부하고 있습니다. 또한, 의학 용어에 대한 이해를 높이기 위해 영어 학습 어플을 가지고 학습을 진행하고 있습니다.

지원기관 : 아주대학교병원   *직무 :* 간호조무

질문. 11   취업 후 자기 개발 계획은 어떻게 되나요?

답변 요령.	자기 개발에 대한 욕심과 장기 비전이 있는가를 묻기 위함이다. 구체적인 목표와 계획도 중요하지만, 지속적인 학습 의지가 보여야 한다. 업무와 연결성과 신선함이 같이 드러나는 답이면 좋다.

유사 질문	입사 후 어떤 기술을 배우고 싶나요? / 역량 강화를 위해 어떤 교육을 받을 계획인가요?
	자기 개발을 위해 어떤 자원을 활용할 계획인가요? / 장기적인 경력 목표 달성 계획이 있나요?

대본	첫 번째, 환자 치료, 의료 기술 및 의료 모범 사례와 관련된 워크숍, 세미나 및 교육 프로그램에 참석하여 지속적인 교육에 참여하며 의료 분야의 최신 발전 사항을 계속 업데이트하겠습니다. 두 번째, 환자 데이터를 정확하고 효율적으로 관리하기 위해 전자 건강 기록(EHR) 및 환자 정보 시스템에 대해 자세히 알아볼 계획입니다. 세 번째, 지금 받고 있는 병원 매너 교육 세션에 지속적으로 참여하여 전화 상담 및 문서화 기술을 향상하기기 위해 노력하겠습니다. 장기적으로는 더 많은 교육을 받고 공인 간호사(RN)가 되기를 열망합니다. 그래서 틈나는 대로 추가적인 인증과 학위를 취득하기 위해 지금도 최선을 다하고 있습니다. 이상입니다.

꼬리 질문 1	참석할 구체적인 워크숍이나 세미나의 예를 들어주실 수 있나요?	저는 특히 첨단 환자 진료 기법에 관한 워크숍과 헬스케어에 AI를 통합하는 세미나에 참석하는 데 관심이 있습니다. 그래서 첫 목표는 대한간호협회에서 주최하는 '고급 환자 진료 전략' 워크숍에 참여할 계획입니다.
꼬리 질문 2	병원 매너 교육은 보통 어떤 과정으로 이뤄지나요?	환자와의 소통 능력을 향상하는 것과 의료 분야 종사자로서 품위 유지를 하는 것이 목표인 교육입니다. 여기에는 인사 방법과 평상시 자세, 전화 상담 기술 연마 등이 포함됩니다.

공통 질문

질문. 10   **취업 후 귀하의 경력 포부는 무엇입니까?**

답변 요령. 본인의 경력 목표가 성장 및 기회 측면에서 회사가 제공할 수 있는 것과 일치하는지 확인함과 동시에 추진력이 있고, 전문성 개발 계획을 갖춘 후보자를 찾고자 하는 질문이다.

유사 질문	당신의 장기 계획은 무엇인가요? / 이곳에서 어떤 위치까지 올라가고 싶나요?	
	이곳에서 5년 후 본인의 모습은 어떨까요? / 이곳에서 10년 후 본인의 모습은 어떨까요?	
대본		
꼬리 질문 1		
꼬리 질문 2		

질문. 11   **취업 후 자기 개발 계획은 어떻게 되나요?**

답변 요령. 자기 개발에 대한 욕심과 장기 비전이 있는가를 묻기 위함이다. 구체적인 목표와 계획도 중요하지만, 지속적인 학습 의지가 보여야 한다. 업무와 연결성과 신선함이 같이 드러나는 답이면 좋다.

유사 질문	입사 후 어떤 기술을 배우고 싶나요? / 역량 강화를 위해 어떤 교육을 받을 계획인가요?	
	자기 개발을 위해 어떤 자원을 활용할 계획인가요? / 장기적인 경력 목표 달성 계획이 있나요?	
대본		
꼬리 질문 1		
꼬리 질문 2		

공통 질문

질문. 12　　　**이 일이 생각보다 힘든데 잘 할 수 있겠어요?**

답변 요령.　직업에 수반되는 스트레스와 도전을 감당할 수 있는지 묻는 질문이다. 어려운 상황에서도 집중력을 유지하고 해결책을 찾는 능력이 있음을 보여줘라.

유사 질문	취업 후 본인이 생각했던 직업 환경과 다르다면 어떻게 할 건가요? 어려운 상황에서 어떻게 대처하시나요? / 스트레스가 많은 환경에서 어떻게 일하나요?	
대본	저는 간호조무사의 역할이 매우 어려울 수 있다는 것을 이해하고 그에 대한 준비가 되어 있습니다. 사실 실습 기간에 몇 가지 어려운 상황이 있었습니다. 피크 시간대에 업무량이 너무 많았고, 불만을 호소하는 환자들 때문에 전체 분위기가 다운되는 경우가 몇 번 있었습니다. 하지만 저만의 확고한 의지가 있었기에 오히려 학습의 기회로 전환할 수 있었습니다. 업무의 우선순위를 효과적으로 정한 다음 시간 관리하는 법과 압박감 속에서도 침착한 태도를 유지하는 법을 배웠습니다. 이 경험을 통해 저는 상황과 관계없이 적응력을 갖고 최선의 진료를 제공하는 데 계속 집중하는 것이 중요하다는 것도 배울 수 있었습니다. 저는 환자 치료에 진심으로 열정을 갖고 있기에, 힘든 날이 있을 것임을 이해하면서도 어려움을 극복하고 환자들에게 탁월한 서비스를 제공하기 위해 최선을 다할 자신이 있습니다. 이상입니다.	
꼬리질문 1	급여가 많지만 힘든 일과, 급여가 좀 적어도 덜 힘든 일 중 어떤 일을 선호하세요?	급여보다는 그 일이 저에게 주는 가치와 만족감이 제 선택 기준입니다. 이 직무를 선택했을 때 실습을 하는 과정과 공부하는 과정 모두가 즐거웠습니다. 이곳에서 실무를 겪으면서 좀 더 성장하겠다는 욕심 또한 선호의 이유 중 하나입니다.
꼬리질문 2	자신에게 책임감이 있다고 생각하세요?	책임감은 곧 인내심과 집중이라고 생각합니다. 제 일에 자부심이 있기에 어려운 상황에서도 침착함을 유지할 수 있고, 생명과 직접 연결된 일이기에 그 어떤 일보다도 집중할 자신이 있습니다.

질문. 13　　　**최근에 어떤 책을 읽었나요?**

답변 요령.　지원자의 관심사, 지속적인 학습 습관, 정보를 대하는 자세를 보려는 것이다. 관련 직무에 대한 학습 습관과 선택한 책에 대한 가치관을 어필하며 지적 호기심을 표현한다.

유사 질문	가장 인상 깊게 읽은 책은 무엇인가요? / 어떤 종류의 책을 주로 읽나요? 최근 독서를 통해 얻은 교훈이 있을까요? 독서를 통해 어떻게 자기 개발을 하고 있나요?	
대본	최근에 읽은 책 중 <체크리스트 선언문>과 <습관의 힘>이 기억납니다. <체크리스트 선언문>은 복잡한 작업에서 효율성과 정확성을 향상하는 체크리스트의 중요성을 말하는 책이었고, <습관의 힘>은 습관 형성의 과학과 우리의 삶과 일을 개선하기 위해 습관을 활용하는 방법을 탐구하는 책이었습니다. 이번 취업을 준비하던 중 조금이나마 도움이 될까 싶어 읽었는데 첫 번째 책은 체크리스트를 사용하면 의료 장비 청소 및 소독이나 환자 치료의 모든 단계를 정확하게 따르는 등의 작업을 관리하는 데 많은 도움이 될 수 있을 거란 생각이 들었습니다. 두 번째 책은 환자 진료 루틴의 생산성과 일관성을 향상시키는 긍정적이 습관을 어떻게 개발할 수 있는지에 대해 고민해볼 수 있었던 시간을 저에게 선물했습니다. 이상입니다.	
꼬리질문 1	책을 읽고 나서 체크리스트 개념을 구체적으로 적용했던 사례가 있을까요?	실습 중에 배운 내용을 체크리스트 형태로 정리하여 적용해보았습니다. 의료 장비를 청소하고 소독할 때 필요한 단계들을 체크리스트로 작성하여 작업의 효율성과 정확성을 크게 향상할 수 있었습니다.
꼬리질문 2	본인이 긍정적인 습관을 개발하고 유지하기 위해 했던 노력이 있을까요?	아침에 일찍 일어나 운동을 하는 습관을 들이기 위해 매일 아침 일정한 시간에 알람을 맞추고 일어나 운동을 하였습니다. 또한, 생활 중 중요한 사항들을 잊지 않기 위해 작은 노트에 할 일을 기록하고, 이를 체크리스트로 만들어 매일 점검하는 습관을 들였습니다.

공통 질문

지원기관 :   *직무 :*

질문. 12   **이 일이 생각보다 힘든데 잘 할 수 있겠어요?**

답변 요령.   직업에 수반되는 스트레스와 도전을 감당할 수 있는지 묻는 질문이다. 어려운 상황에서도 집중력을 유지하고 해결책을 찾는 능력이 있음을 보여줘라.

유사 질문	취업 후 본인이 생각했던 직업 환경과 다르다면 어떻게 할 건가요? 어려운 상황에서 어떻게 대처하시나요? / 스트레스가 많은 환경에서 어떻게 일하나요?	
대본		
꼬리 질문 1		
꼬리 질문 2		

지원기관 :   *직무 :*

질문. 13   **최근에 어떤 책을 읽었나요?**

답변 요령.   지원자의 관심사, 지속적인 학습 습관, 정보를 대하는 자세를 보려는 것이다. 관련 직무에 대한 학습 습관과 선택한 책에 대한 가치관을 어필하며 지적 호기심을 표현한다.

유사 질문	가장 인상 깊게 읽은 책은 무엇인가요? / 어떤 종류의 책을 주로 읽나요? 최근 독서를 통해 얻은 교훈이 있을까요? 독서를 통해 어떻게 자기 개발을 하고 있나요?	
대본		
꼬리 질문 1		
꼬리 질문 2		

공통 질문

질문. 14　　존경하는 인물이나 롤모델이 있나요?

답변 요령.	지원자에게 어떤 자질과 가치가 중요한지, 본인의 삶과 경력에서 구현하고자 하는 것이 무엇인지 묻고자 함이다. 기관의 문화 및 가치에 부합할 수 있도록 롤모델을 선정하여 진정성 있게 표현한다.

유사 질문	삶에서 가장 큰 영향을 준 사람이 누구인가요? / 어떤 인물로부터 영감을 받았나요? 가장 존경하는 역사적 인물은 누구인가요? / 역할 모델로 삼는 사람이 있나요?
대본	제가 제일 존경하는 분은 저희 고등학교 과학 선생님입니다. 김 영자 신자를 쓰시는데 자신의 교육에 놀라울 정도로 헌신적이고 열정적이며 학생들이 복잡한 개념을 이해할 수 있도록 항상 최선을 다하십니다. 특히 어려운 주제를 단순화하고 전달하는 능력은 제가 꼭 배우고 싶은 점이기도 합니다. 　또한 선생님은 시간이 날 때마다 학생들의 고민을 경청하고 사려 깊은 지도를 제공하십니다. 저 또한 제 꿈을 이루는 과정에서 선생님과 많은 이야기를 주고받으며 동기 부여와 응원을 받았습니다. 　이렇게 선생님과 함께한 시간으로 환자 치료에 헌신의 마음과 명확성을 갖고 접근하는 영감을 배울 수 있었고, 공감하는 경청자가 되는 것과 지원을 제공하는 것의 중요성을 체득할 수 있었습니다. 학교에서의 선생님처럼 저도 이곳에서 최고의 진료 환경을 만들기 위해 헌신하고 공감하며 지속적인 학습을 하겠다고 약속드리고 싶습니다. 감사합니다.
꼬리 질문 1	과학 선생님께서 이해하도록 도와줬던 복잡한 개념의 예를 들어주실 수 있을까요?	생물학 수업에서 DNA 복제가 어떻게 작동하는지, 그리고 세포 분열 중에 유전 정보가 어떻게 전달되는지 이해하는 것이 어려웠습니다. 선생님께서는 DNA 분자의 3D 모델을 가져와서 이중 나선이 풀리는 방법을 단계별로 보여주었습니다.
꼬리 질문 2	복잡한 정보를 단순화하는 기술을 환자 진료에 어떻게 적용할 계획인가요?	일단은 일상적인 언어로 환자에게 다가가겠습니다. 그래도 어렵다면 유추나 단계별 설명을 사용해서 치료 프로세스를 설명하고, 반복 전달로 오해의 소지가 없도록 하겠습니다.

질문. 15　　본인이 생각하는 바람직한 간호조무사의 모습은 어떤 건가요?

답변 요령.	성공적인 직무를 수행하기 위한 주요 자질과 속성에 대한 이해 평가를 하기 위함이다. 개인적으로는 지식 및 실무 기술, 적응성과 유연성, 체력을 어필하고, 조직적으로는 의사소통기술을 강조해라.

유사 질문	이 직업에서 가장 중요한 자질은 무엇인가요? / 이 직업에서 성공하기 위해 필요한 덕목은 무엇인가요? 이 직업에서 가장 중요한 책임은 무엇인가요? / 이 직업을 수행하는 데 가장 중요한 기술은 무엇인가요?
대본	바람직한 간호조무사는 직무의 다양한 책임에 부합하는 기술적 능력, 개인적 특성 및 전문적 자질을 보유해야 합니다. 의학 지식과 환자 진료 기술에 대한 기초를 갖추고 환자의 치료에 만전의 준비를 다하는 것이 우선 책임이라 생각합니다. 　또한 정서적으로 연민과 공감은 환자 중심의 진료를 제공하고 치료 중에 환자가 지지받고 이해받는 느낌을 받도록 하는 데 매우 중요하다고 생각합니다. 따라서 환자, 가족, 의료팀과 상호작용하여 정보가 정확하게 전달되고 수신되도록 조율하는 의사소통 기술이 필수입니다. 　저 또한 적응성과 유연성을 가지고 저에게 주어지는 책임을 다하기 위해 최선을 다하겠습니다. 감사합니다.
꼬리 질문 1	개인적인 가치가 직업적 의무와 충돌하는 상황을 어떻게 처리합니까?	제 윤리적 가치 기준과 병원에서의 직업적 의무가 일치한다고 생각해서 지원했습니다. 따라서 제 개인적 가치의 기준 또한 직업적 의무와 일치시켜 충돌이 없도록 하겠습니다.
꼬리 질문 2	간호조무사가 되어 일하고 싶은 분야가 있나요?	평소에 아이들과 함께 하는 시간을 즐겨 소아과에서 일해보고 싶습니다. 하지만 다른 분야에서도 경험을 쌓고 싶은 욕심도 있습니다. 다양한 부서에서 일하면서 기술과 지식을 넓히는 것 또한 재능의 폭을 넓힐 기회라고 생각합니다.

지원기관 :   *직무 :*

질문. 14   **존경하는 인물이나 롤모델이 있나요?**

답변 요령.   지원자에게 어떤 자질과 가치가 중요한지, 본인의 삶과 경력에서 구현하고자 하는 것이 무엇인지 묻고자 함이다. 기관의 문화 및 가치에 부합할 수 있도록 롤모델을 선정하여 진정성 있게 표현한다.

유사 질문	삶에서 가장 큰 영향을 준 사람이 누구인가요? / 어떤 인물로부터 영감을 받았나요? 가장 존경하는 역사적 인물은 누구인가요? / 역할 모델로 삼는 사람이 있나요?	
대본		
꼬리 질문 1		
꼬리 질문 2		

지원기관 :   *직무 :*

질문. 15   **본인이 생각하는 바람직한 간호조무사의 모습은 어떤 건가요?**

답변 요령.   성공적인 직무를 수행하기 위한 주요 자질과 속성에 대한 이해 평가를 하기 위함이다. 개인적으로는 지식 및 실무 기술, 적응성과 유연성, 체력을 어필하고, 조직적으로는 의사소통기술을 강조해라.

유사 질문	이 직업에서 가장 중요한 자질은 무엇인가요? / 이 직업에서 성공하기 위해 필요한 덕목은 무엇인가요? 이 직업에서 가장 중요한 책임은 무엇인가요? / 이 직업을 수행하는 데 가장 중요한 기술은 무엇인가요?	
대본		
꼬리 질문 1		
꼬리 질문 2		

공통 질문

질문. 16   **이전에 간호조무사 또는 이와 유사한 역할을 했던 경험을 설명해 주시겠습니까?**

답변 요령.	실무 경험, 기술, 직위에서 요구되는 업무 수행 능력을 평가하기 위함이다. 이전 경험이 지원하는 직무와 얼마나 잘 일치하는지 구체적 예시를 듦과 동시에 수행했던 기여와 헌신도를 자세히 어필한다.

유사 질문	이전에 의료 환경에서 일해본 경험이 있나요? / 환자를 돌본 경험이 있습니까? 이전에 팀과 함께 일한 경험이 있나요? / 간호조무사로서 일해본 경험이 있나요?
대본	노원에 있는 한 중형병원에서 간호조무사 실습을 했던 경험이 있습니다. 3개월의 짧은 기간이었지만 많은 걸 배울 수 있었던 시간이었습니다. 　병원에 도착하면 먼저 의료기구의 세척과 소독부터 시작했습니다. 다음은 진료실로 이동해서 침대 난간, 의료 장비 표면과 같이 접촉이 많은 부분에 초점을 맞춰 청소 및 소독 프로토콜을 따랐습니다. 방의 환기까지 체크하고서 진료를 시작하면 환자들의 체온과 혈압을 측정하는 일을 주로 맡았습니다. 　다른 업무를 맡아서 진행하지는 못했지만 배워두면 좋을 것 같아 틈이 날 때마다 외래 접수와 전화 예약 관리 절차를 살펴보면서 저만의 프로세스를 정리해두기도 했습니다. 　이 경험을 통해 간호조무사 업무에 대한 기초를 쌓을 수 있었고, 청결하고 조직적인 의료 환경의 중요성을 알게 되었습니다. 아직 실무 경력이 좀 부족하지만, 이곳에서 지속적인 학습과 전문적 성장을 통해 본원에 기여할 수 있는 간호조무사가 되고 싶습니다.
꼬리 질문 1	간호조무사로서 가장 어려움 점을 무엇이라고 생각하나요?	정신적, 신체적 스트레스라고 생각합니다. 정신적으로는 동료와 선배의 지원을 구하고, 개인적 역량을 키우며 환자 치료에 만전을 기하겠습니다. 또한, 체력은 꾸준한 운동과 균형 잡힌 식단으로 관리를 진행할 생각입니다.
꼬리 질문 2	병원 환경 개선을 위해 고민했던 부분은 없을까요?	생각보다 많은 환자들이 치료 프로세스를 헷갈리고, 긴 대기 시간에 불만이 많았습니다. 그래서 할 수 있다면 프로세스를 간소화하고, 명료하게 수정했으면 하는 바람이 있었습니다.

질문. 17   **공부했던 교과목 중 좋아했던 과목과 싫어했던 과목이 있을까요?**

답변 요령.	지원자의 관심사, 강점, 약점을 파악하고자 하는 질문이다. 성적이 좋다면 높은 등급 중심으로, 좋지 않았다면 흥미롭게 공부했던 부분 위주로 직무와 연결시키고, 미래 학습 계획까지 언급하면 좋다.

유사 질문	가장 자신 있는 과목은 무엇인가요? / 가장 어려웠던 과목은 무엇인가요? 학창 시절에 특별히 관심을 가졌던 과목이 있나요? / 어려운 과목을 어떻게 극복했나요?
대본	중학교 시절부터 과학을 좋아했었습니다. 어떤 현상의 이유를 설명할 수 있는 부분이 특히나 매력적이었습니다. 특히 물질의 구성과 변화를 다루는 화학을 좋아해서 고등학교 시절 내내 좋은 성적을 유지하기도 했습니다. 반면에 제가 어려웠던 영어였습니다. 특히 의학 용어에서 나오는 영어는 훨씬 더 난이도가 높아 고등학교 1학년 내내 심적 고통이 많았습니다. 그래도 조금 더 재미있게 공부하는 방법을 찾다가 어원 공부법을 알게 되었고, 그 이후 겨울 방학 때 저만의 암기 방법을 찾아 공부했던 결과 2학년 때부터는 영어도 꾸준히 준수한 성적을 유지할 수 있었습니다. 　간호조무사를 준비하면서 특히 이 두 과목은 유기적으로 잘 연결되어서 간호학 개론을 공부할 때 많은 노움이 뇌었습니다. 취업 후 이곳에서도 분명 학습에 어려움이 있겠지만 계속 연구하고, 질문하면서 성장에 부족함이 없도록 노력하겠습니다. 감사합니다.
꼬리 질문 1	간호 실습 중에 화학 지식을 적용했던 사례가 있을까요?	화학에서 배운 삼투와 확산의 원리는 IV 드립을 관리하고 환자에게 주어지는 다양한 유형의 액체를 이해하는 데 특히 유용했습니다. 또한, 약물의 화학적 구성과 반응을 이해하는 것이 약물의 상호작용을 파악하는 데 큰 도움이 됐습니다.
꼬리 질문 2	어려운 과목을 극복하기 위해 어떤 전략을 사용합니까?	어원으로 영어를 공부하고 나서 외운 용어들을 실제로 사용해 보기 위해 의료 기사와 사례 연구를 읽고, 친구들과 토론을 하며 실습했습니다. 이후 영어뿐만 아니라 서로 어려운 과목을 마스터할 수 있도록 지원하는 스터디 그룹으로 이어질 수 있었습니다.

지원기관 :   직무 :

질문. 16　　이전에 간호조무사 또는 이와 유사한 역할을 했던 경험을 설명해 주시겠습니까?

답변 요령.　실무 경험, 기술, 직위에서 요구되는 업무 수행 능력을 평가하기 위함이다. 이전 경험이 지원하는 직무와 얼마나 잘 일치하는지 구체적 예시를 듦과 동시에 수행했던 기여와 헌신도를 자세히 어필한다.

유사 질문	이전에 의료 환경에서 일해본 경험이 있나요? / 환자를 돌본 경험이 있습니까? 이전에 팀과 함께 일한 경험이 있나요? / 간호조무사로서 일해본 경험이 있나요?	
대본		
꼬리 질문 1		
꼬리 질문 2		

지원기관 :   직무 :

질문. 17　　공부했던 교과목 중 좋아했던 과목과 싫어했던 과목이 있을까요?

답변 요령.　지원자의 관심사, 강점, 약점을 파악하고자 하는 질문이다. 성적이 좋다면 높은 등급 중심으로, 좋지 않았다면 흥미롭게 공부했던 부분 위주로 직무와 연결시키고, 미래 학습 계획까지 언급하면 좋다.

유사 질문	가장 자신 있는 과목은 무엇인가요? / 가장 어려웠던 과목은 무엇인가요? 학창 시절에 특별히 관심을 가졌던 과목이 있나요? / 어려운 과목을 어떻게 극복했나요?	
대본		
꼬리 질문 1		
꼬리 질문 2		

공통 질문

지원기관 : 부산대학교병원 　　　　　　　　　　**직무 :** 간호조무

질문. 18　　　이번 채용 소식을 어떻게 알게 되었나요?

답변 요령.　본인의 취업 의지에 관한 태도가 적극적인지, 아님 수동적인지 확인하는 질문이다. 직무에 대한 관심도와 구직 과정에 대한 넓은 이해도를 적극성을 강조하며 표현할 수 있어야 한다.

유사 질문	우리 병원에 대해 얼마나 알고 있나요? 평소에 우리 병원에 관심이 있었나요?
대본	간호조무사에 대한 열정을 갖고, 그 목표를 달성하기 위해 관련 특성화 고등학교에서 학업에 집중했습니다. 재학 중 졸업생 선배님들의 강의를 들을 기회가 있었는데, 현장에서 근무하고 있는 한 선배님이 이 일에 대한 열정을 공유하고 자신의 진로 계획을 자세히 설명해주셨습니다. 　이후 선배의 경험에 자극을 받아 채용 기회에 대한 최신 정보를 얻기 위해 귀사 웹사이트의 채용 게시판을 적극적으로 팔로우하기 시작했습니다. 또한, 본원에 대한 취업 의사를 학교 선생님에게 표현하고, 공식 채용 공고가 접수되는 즉시 저에게 알려달라고 요청하기도 했습니다. 　또한, 작년 채용 일정을 토대로 올해 예상 공시 시기를 예측하는 등 적극적으로 이번 기회를 준비했습니다. 감사합니다!

꼬리 질문 1	선배에게서 들었던 강연 중 동기 부여를 받았던 자세한 사례를 들을 수 있을까요?	선배는 환자가 겪는 스트레스와 불안을 경감시키기 위해 어떤 대화를 나눴는지, 그리고 작은 행동 하나하나가 환자에게 얼마나 큰 영향을 미칠 수 있는지를 설명해 주셨습니다. 그리고 그 과정에서 얻은 뿌듯함에 저 또한 감명을 받을수밖에 없었습니다.
꼬리 질문 2	채용 채널에 대한 만족도는 어떤가요? 다른 방향으로 채용 공고를 할 수 있는 아이디어가 혹시 있을까요?	홈페이지를 제외하고는 채용 공고가 주로 학교를 통해 전달되고 있습니다. 소셜 미디어 플랫폼을 활용한 광고가 효과적일 것이라고 생각합니다. SNS 플랫폼에서 병원의 일상적인 모습을 보여주는 콘텐츠를 제작하면 병원을 더 잘 이해하는 데 도움이 될 것 같습니다.

지원기관 : 삼성서울병원 　　　　　　　　　　**직무 :** 간호조무

질문. 19　　　어려운 상황에서 문제 해결을 했던 사례가 있을까요?

답변 요령.　문제가 생겼을 때 어떤 방식으로 접근하는지 확인하려는 질문이다. 본인에게 강점인 능력을 어필하고 문제를 구조화, 구체화할 수 있는 능력, 비판적 사고와 여유 능력을 표현할 수 있어야 한다.

유사 질문	위기 상황에서 대처한 경험이 있나요? / 급히 결정을 내려 문제를 해결했던 상황이 있었나요? 응급 상황이 되기 전에 문제를 해결했던 경험이 있나요? / 다른 이들과 협력하여 문제를 해결한 경험이 있나요?
대본	고등학교 2학년 가을 즈음 축제 전날 리허설이 있었습니다. 저는 학생회장으로서 총괄 진행을 맡아 크고 작은 일들을 살펴보고 있었습니다. 그런데 저녁을 먹고 나서 갑자기 음향 시스템이 망가져 무대 공연이 불가능한 상황에 이르렀습니다. 마침 담당 선생님께서 급한 일로 자리를 비운 상태였고, 따로 연락할 곳도 마땅치 않았습니다. 　저는 일단 학생회를 긴급히 소집하고 해결책을 모색했습니다. 가능한 장비 대여 업체를 검색했고, 졸업 선배들에게도 연락을 취해 도움을 구했습니다. 다행히 전년도 회장 선배 지인의 도움으로 한 음반 가게와 협상을 했고, 필요한 장비를 할인된 가격에 빌릴 수 있었습니다. 음향 기술자도 보내주셔서 전년도 대비 훨씬 더 풍성한 음향 시스템으로 축제를 성황리에 마칠 수 있었습니다. 　그때 경험을 통해 예상치 못한 문제를 극복하는 데 있어서 빠른 문제 해결, 지략, 효과적인 의사소통도 중요하지만 필요할 때 적극적으로 도움을 요청하는 것의 소중함을 크게 배울 수 있었습니다.

꼬리 질문 1	조직의 리더가 아닌 상황에서 문제를 해결하는 방법은 뭘까요?	리더가 아니어서 선택할 수는 없지만 선택할 만한 의견을 제시할 수는 있다고 생각합니다. 따라서 먼저 해결책을 제안하고 적극적인 의사소통이 가능하도록 환경을 조성하는 것이 최선이라고 생각합니다.
꼬리 질문 2	우리 병원에 그 문제 해결 능력을 어떻게 적용하면 좋을까요?	그때 경험을 팀과 효과적으로 소통하는 것이 중요성을 배웠습니다. 따라서 환자 치료 과정에서 도움이 필요할 때 빠르게 서로 도움을 주고받을 수 있도록 관계성을 좋게 유지하기 위한 노력을 해야겠다고 생각했습니다.

지원기관 :   *직무 :*

질문. 18   **이번 채용 소식을 어떻게 알게 되었나요?**

답변 요령.   본인의 취업 의지에 관한 태도가 적극적인지, 아님 수동적인지 확인하는 질문이다. 직무에 대한 관심도와 구직 과정에 대한 넓은 이해도를 적극성을 강조하며 표현할 수 있어야 한다.

유사 질문	우리 병원에 대해 얼마나 알고 있나요? 평소에 우리 병원에 관심이 있었나요?	
대본		
꼬리 질문 1		
꼬리 질문 2		

지원기관 :   *직무 :*

질문. 19   **어려운 상황에서 문제 해결을 했던 사례가 있을까요?**

답변 요령.   문제가 생겼을 때 어떤 방식으로 접근하는지 확인하려는 질문이다. 본인에게 강점인 능력을 어필하고 문제를 구조화, 구체화할 수 있는 능력, 비판적 사고와 여유 능력을 표현할 수 있어야 한다.

유사 질문	위기 상황에서 대처한 경험이 있나요? / 급히 결정을 내려 문제를 해결했던 상황이 있었나요? 응급 상황이 되기 전에 문제를 해결했던 경험이 있나요? / 다른 이들과 협력하여 문제를 해결한 경험이 있나요?	
대본		
꼬리 질문 1		
꼬리 질문 2		

공통 질문

지원기관 : 부산대학교병원　　　　　　　　　**직무 :** 간호조무

질문. 20　　　기억에 남는 봉사활동 경험이 있나요?

답변 요령.　연민과 공감, 헌신과 책임 의식을 가졌는지 묻고자 함이다. 본인이 가진 전문성까지 같이 어필하는 것이 좋다.

유사 질문	최근 봉사활동 중 가장 보람 있었던 일은 무엇인가요? 자원봉사 활동을 통해 배운 중요한 교훈은 무엇인가요?	
대본	기억에 남는 장애인 자원봉사 경험이 있습니다. 처음에는 저와 조금은 다르다는 생각에 긴장했지만, 정말 보람찬 시간이었습니다. 자원봉사 활동을 하는 동안 거기 계셨던 분들은 대부분 어려운 상황 속에서도 웃음을 잃지 않고 긍정적인 에너지를 보여주셨습니다. 그래서 오히려 제가 더 힘을 받고 그들과 상호작용할 수 있었습니다. 그리고 그 과정에서 환자와의 관계와 이해를 구축함에 있어 저의 역할이 무엇인지 생각해볼 수 있는 계기도 있었습니다. 　활동을 마친 후 간호조무사라는 직업에 좀 더 강력한 동기부여를 더하게 되었고, 이러한 통찰력을 적용하여 자비롭고 효과적인 치료를 환자들에게 제공하겠다는 포부도 갖게 되었습니다. 감사합니다.	
꼬리 질문 1	장애인 자원봉사에 참여하게 된 동기가 무엇이었나요?	어려움에 직면한 사람들에게 의미 있는 영향을 미치고 싶은 제 마음인지 진실인지 확인하고 싶었습니다. 그리고 이 일이 저한테 천직임을 확고히 정할 수 있었습니다.
꼬리 질문 2	봉사활동 동안 구체적으로 어떤 업무를 수행했나요?	어르신들의 일상생활 보조, 여가활동 조직, 동료애 제공 등 다양한 업무에 참여했습니다. 구체적으로는 식사 준비와 급식, 이동 및 교통 지원 등의 일을 했습니다.

"바다는 잠들지 않는다."

공통 질문

지원기관 :   *직무 :*

질문. 20   **기억에 남는 봉사활동 경험이 있나요?**

답변 요령.   연민과 공감, 헌신과 책임 의식을 가졌는지 묻고자 함이다. 본인이 가진 전문성까지 같이 어필하는 것이 좋다.

유사 질문	최근 봉사활동 중 가장 보람 있었던 일은 무엇인가요? 자원봉사 활동을 통해 배운 중요한 교훈은 무엇인가요?	
대본		
꼬리 질문 1		
꼬리 질문 2		

"바다는 잠들지 않는다."

압박 질문

지원기관 : 부산대학교병원   직무 : 간호조무

질문. 21   상사와의 갈등이 생긴다면 어떻게 할 건가요?

답변 요령. 성숙하면서도 전문적으로 갈등을 처리할 수 있는가를 알고 싶어 하는 질문이다. 상사의 권위를 훼손하지 않는 범위 내에서 침착하고 여유롭게 문제를 해결하는 능력을 보여줄 수 있어야 한다.

유사 질문	상사와 의견이 맞지 않을 때 어떻게 대처하나요? / 상사와의 갈등을 해결한 경험이 있나요? 어려운 상황에서 상사와 어떻게 협력해야 하나요? / 업무 중 갈등이 발생하면 어떻게 해결하시겠어요?

대본	먼저 상황을 침착하게 평가하여 상사의 입장을 이해하고 그분의 지시, 경험, 직급을 인정하겠습니다. 하지만 해당 사안이 조직의 이익과 윤리적 기준에 어긋날 수도 있다는 생각이 든다면 상사에게 비공개 면담을 요청하겠습니다. 그리고 개인적인 감정보다는 구체적인 문제에 중점을 두고 제 우려 사항을 명확하고 정중하게 표현하여 해결책이나 타협점을 찾도록 하겠습니다. 이후에도 갈등이 해결되지 않는다면 저의 부족함을 인정하고 문제의 경과를 기록한 다음 상위 관리자나 조정 담당 부서에 전달하여 최대한 빠르고 원만히 해결될 수 있도록 노력하겠습니다. 감사합니다.

꼬리 질문 1	본인의 우려 사항이 명확하고 정중하게 표현하는 방법은 구체적으로 어떤 걸까요?	먼저 우려 사항과 관련된 사실과 사례를 수집하는 것부터 시작하겠습니다. 그런 다음 상사에게 정중한 어조를 유지하면서 명확하고 간결하게 말하겠습니다. 그리고는 그분의 설명을 적극적으로 경청하고 난 후 후속 조치를 취하겠습니다.
꼬리 질문 2	상위 관리자나 조정 부서에서도 문제가 해결되지 않는다면 어떻게 할 건가요?	나중에 참조할 수 있도록 문제와 관련된 사례와 대화 과정을 문서화 할 것입니다. 그런 다음 의료 시설 내 명령 체계를 활용하여 환자의 안전을 보장하고 긍정적인 업무 환경을 유지하기 위해 최선을 다하겠습니다.

지원기관 : 삼성서울병원   직무 : 간호조무

질문. 22   다른 이와의 갈등을 해결해본 경험이 있나요?

답변 요령. 조직이라면 무조건 내·외적으로 갈등이 존재한다. 그때 구체적 예시를 들어 주도적으로 어떻게 문제를 해결했는지 설명하고 그 경험에서 배웠던 것들을 프로세스화하는 과정까지 제시해야 한다.

유사 질문	어려운 동료를 대했던 경험이 있나요? / 다른 사람 사이의 분쟁을 해결했던 경험이 있나요? 팀 내 갈등을 성공적으로 해결한 사례가 있나요? / 갈등을 해결하기 위한 본인만의 기술이 있나요?

대본	병원에서 실습하던 중 한 동료와 환자 관리 방식에 대한 의견 차이가 있었습니다. 그 동료는 저보다 먼저 실습을 시작해서 본인만의 방식이 있었고, 저는 새로운 방식으로 접근하려고 했기 때문에 갈등이 발생했습니다. 저는 조심스레 동료에게 먼저 대화를 요청했습니다. 우선 동료의 경험을 존중하며 들었고, 조심히 제가 생각했던 방식의 효율성을 어필했습니다. 동시에, 저희 모두가 환자에게 최선의 케어를 제공하는 것이 공통의 목표라는 점을 강조했습니다. 조금 시간이 걸렸지만, 결국 두 가지 접근 방식을 조합하여 더 나은 환자 관리 방법을 찾았습니다. 이 경험은 저에게 적극적인 경청, 상호 존중, 그리고 협력의 중요성을 가르쳐 주었습니다. 이상입니다.

꼬리 질문 1	본인의 인생에서 가장 후회할 만한 행동을 했던 경험이 있나요?	학교에서 리더로 나섰던 역할이 많아 학업 성적에 집중하지 못했습니다. 대신 간절함에서 나온 공부 방법을 알게 되었고, 개인의 역량을 신장시키는 것 또한 조직 내에서 꼭 필요한 일임을 인지하게 되었습니다.
꼬리 질문 2	본인만의 스트레스 해소법이 있나요?	당장 해결할 수 없는 일로 스트레스를 받을 때는 저 스스로를 바쁘게 하는 편입니다. 그렇게 하루를 바쁘게 보내고 지쳐 잠이 든 다음 날 아침이면 대부분 별거 아닌 일이었던 경우가 많았습니다.

압박 질문

지원기관 :   *직무 :*

질문. 21   **상사와의 갈등이 생긴다면 어떻게 할 건가요?**

답변 요령. 성숙하면서도 전문적으로 갈등을 처리할 수 있는가를 알고 싶어 하는 질문이다. 상사의 권위를 훼손하지 않는 범위 내에서 침착하고 여유롭게 문제를 해결하는 능력을 보여줄 수 있어야 한다.

유사 질문	상사와 의견이 맞지 않을 때 어떻게 대처하나요? / 상사와의 갈등을 해결한 경험이 있나요? 어려운 상황에서 상사와 어떻게 협력해야 하나요? / 업무 중 갈등이 발생하면 어떻게 해결하시겠어요?	
대본		
꼬리 질문 1		
꼬리 질문 2		

지원기관 :   *직무 :*

질문. 22   **다른 이와의 갈등을 해결해본 경험이 있나요?**

답변 요령. 조직이라면 무조건 내·외적으로 갈등이 존재한다. 그때 구체적 예시를 들어 주도적으로 어떻게 문제를 해결했는지 설명하고 그 경험에서 배웠던 것들을 프로세스화하는 과정까지 제시해야 한다.

유사 질문	어려운 동료를 대했던 경험이 있나요? / 다른 사람 사이의 분쟁을 해결했던 경험이 있나요? 팀 내 갈등을 성공적으로 해결한 사례가 있나요? / 갈등을 해결하기 위한 본인만의 기술이 있나요?	
대본		
꼬리 질문 1		
꼬리 질문 2		

압박 질문

질문. 23   고객(환자)과 갈등이 생긴다면 어떻게 대처할 예정인가요?

답변 요령.	문제 해결 능력, 인내, 공감, 의사소통 능력을 평가하기 위함이다. 전문적이고 차분한 태도로 상황을 처리하는 후속 조치까지 행하는 전문성을 보여줄 수 있어야 한다.

유사 질문	어려운 환자를 다루어야 했던 상황이 있었나요? / 화난 환자를 상대한 적이 있나요? 환자나 그 가족과 대립하고 있을 때 어떻게 전문성을 유지합니까?	
대본	2년 전 실습을 하던 중, 진료 예약 대기 시간이 너무 길어 환자가 불평하는 상황을 접한 적이 있습니다. 선배 간호사분들이 모두 다른 환자들을 살피느라 바빠서 계속 긴장된 분위기가 이어졌습니다. 저는 조금 용기를 내시 그분에게 디기갔습니다. 먼저, 환자분의 예약시간과 진료과명을 확인한 후, 늦어진 점에 대해 진심으로 사과드렸습니다. 또한, 지연 이유를 설명하고 예상 대기 시간을 안내해 드렸습니다. 담당 의사선생님께 상황을 보고했습니다. 이후 기다리는 시간을 좀 더 편안하게 만들기 위해 물과 커피를 제공하고 환자분에게 정기적으로 진행 상황을 알려주었습니다. 　이 경험을 통해 저는 환자의 우려 사항을 관리하는 데 있어 적극적인 의사소통과 공감의 중요성을 배웠습니다. 그 이후로 환자와의 접근 방식을 지속적으로 개선하기 위해 문제 해결 노트를 작성해 왔습니다. 따라서 입사 후 유사한 사건이 발생한다면 똑같이 경청하고 공감하며 환자분이 최대한 편안하면서도 만족스러운 결과가 나올 수 있도록 최선을 다하겠습니다. 감사합니다.	
꼬리 질문 1	본인이 나서야 할 때와 아닐 때의 기준을 어떻게 설정하죠?	환자의 안전이 위험할 경우, 항상 조치를 취하고, 나머지 경우에는 제 역할의 경계를 벗어난다고 판단하면 관련 의료진에게 즉시 알려야 합니다. 그리고 평소에 명확한 의사소통으로 최선의 조치가 무엇인지 상사나 동료와 함께 고민하겠습니다.
꼬리 질문 2	대화가 아니라 힘으로 억지를 쓰는 환자가 있다면 어떻게 대응할 건가요?	침착함과 전문성을 먼저 유지하겠습니다. 상황을 즉시 평가하여 나 자신, 환자 또는 다른 사람에게 즉각적인 위험이 없는지 확인합니다. 그리고 필요하다면 다른 직원이나 보안요원에게 도움을 요청할 것입니다.

질문. 24   면접에서 떨어지면 어떻게 할 건가요?

답변 요령.	귀하가 좌절을 처리할 수 있는지, 그리고 실패에 어떻게 대응하는지 알고 싶어하는 질문이다. 자기 인식을 바로 하고, 인내하는 태도로 배움의 의지를 보여줄 수 있어야 한다.

유사 질문	목표를 달성하지 못하면 어떻게 대응하나요? / 실수로부터 배우기 위한 본인의 대처 방법은 무엇인가요? 실망을 경험한 후에도 동기를 유지한 경험이 있나요? / 거절이나 비판에 어떻게 대처합니까?	
대본	제가 생각하는 최고의 배움은 시행착오라고 생각합니다. 그런 일이 없으면 좋겠지만, 혹시라도 면접에서 떨어진다면 내년에 있을 기회를 위해 오늘 제가 놓쳤던 부분에 대해 되돌아보는 시간을 갖고 제가 더 잘 대답할 수 있었거나 내 기술을 더 효과적으로 보여줄 수 있었던 영역을 파악하겠습니다. 그리고 혹시 괜찮다면 면접관님들에게 건설적인 피드백을 받을 수 있을까요? 합격 여부를 떠나 귀중한 통찰력을 얻을 기회라고 생각합니다. 감사합니다.	
꼬리 질문 1	실수를 통해 교훈을 얻었던 경험이 있나요?	고등학교 1학년 때 보건 과학 시간에 '환자 치료 기술'에 대한 프레젠테이션에서 확실하지 않은 데이터 때문에 문제가 있었습니다. 이후 자료의 정확성을 파악하는 것이 너무나 중요한 과정임을 알게 되었습니다.
꼬리 질문 2	건설적인 비판을 어떻게 처리합니까?	일단 감사한 마음으로 경청하며 메모합니다. 이후 그 조언을 업무에 어떻게 적용할 수 있을지 고민합니다. 실습을 할 때도 선배들의 피드백을 적극 수용하여 환자들과의 효과적인 의사소통 기술을 배울 수 있었습니다.

지원기관 :   *직무 :*

질문. 23   **고객(환자)과 갈등이 생긴다면 어떻게 대처할 예정인가요?**

답변 요령.   문제 해결 능력, 인내, 공감, 의사소통 능력을 평가하기 위함이다. 전문적이고 차분한 태도로 상황을 처리하는 후속 조치까지 행하는 전문성을 보여줄 수 있어야 한다.

유사 질문	어려운 환자를 다루어야 했던 상황이 있었나요? / 화난 환자를 상대한 적이 있나요? 환자나 그 가족과 대립하고 있을 때 어떻게 전문성을 유지합니까?	
대본		
꼬리 질문 1		
꼬리 질문 2		

지원기관 :   *직무 :*

질문. 24   **면접에서 떨어지면 어떻게 할 건가요?**

답변 요령.   귀하가 좌절을 처리할 수 있는지, 그리고 실패에 어떻게 대응하는지 알고 싶어하는 질문이다. 자기 인식을 바로 하고, 인내하는 태도로 배움의 의지를 보여줄 수 있어야 한다.

유사 질문	목표를 달성하지 못하면 어떻게 대응하나요? / 실수로부터 배우기 위한 본인의 대처 방법은 무엇인가요? 실망을 경험한 후에도 동기를 유지한 경험이 있나요? / 거절이나 비판에 어떻게 대처합니까?	
대본		
꼬리 질문 1		
꼬리 질문 2		

압박 질문

질문. 25   간호조무사 직업의 단점이 무엇인가요?

답변 요령.	역할에 대한 적합성 측면을 평가하고자 함이다. 직무에 주어지는 과제와 요구 사항을 현실적으로 이해하고, 높은 복원력으로 문제 해결에 임하는 자세를 보여줘야 한다.

유사 질문	간호조무사로서 가장 어려운 점은 무엇인가요? / 간호조무사로 일하면서 가장 스트레스를 받는 것은 무엇인가요? 이 역할을 수행하면서 겪는 어려움은 무엇인가요?

대본	제 직업과 이상에 대해서 큰 보람과 가치를 느끼고 있습니다. 단점까지는 아니지만, 실습을 하면서 겪었던 어려움에 대해서 말해보겠습니다. 우선 오랜 시간 동안 서서 환자를 부축하는 등 신체적 체력이 필요한 다양한 작업을 수행해서 육체적으로 힘든 경우가 더러 있었습니다. 그래서 그 시기에 시작했던 근력 운동을 지금도 꾸준히 이어오고 있습니다. 　정서적으로는 아픈 환자들을 대하다 보니 서로 감정이 상할 때가 있었습니다. 하지만 경험이 많은 선배들 덕분에 역할 분담과 잦은 수다로 긍정적 사고를 유지할 수 있었습니다. 　이러한 어려움에도 불구하고 저는 환자에게 제가 배운 지식으로 의료팀을 지원하여 환자들을 돕는 데서 오는 보상이 단점보다 훨씬 크다고 믿습니다. 이상입니다.

꼬리 질문 1	근력 운동이 환자를 지원하는 데 도움이 됐던 구체적인 사례가 있을까요?	실습 중에 침대에서 휠체어로 이동하는 데 도움이 필요한 환자를 도운 적이 있습니다. 근육이 많이 빠져 힘들어하던 환자를 불편함 없이 안전하게 이동하도록 돕는 것이 조금 힘들긴 했지만, 근력 훈련이 많은 도움이 되었습니다.
꼬리 질문 2	정서적으로 힘들어하는 환자나 가족은 어떻게 도움을 주어야 할까요?	우선 그들의 우려에 적극적으로 귀를 기울이고 그들의 감정을 확인하여 안심과 지원을 제공합니다. 필요한 경우 추가 지원을 제공할 수 있도록 주변에 도움을 요청하겠습니다.

질문. 26   전공이 아닌데 우리 병원에 지원한 이유가 있을까요?

답변 요령.	전공과 직접적인 관련이 없음에도 불구하고 해당 역할에 관심을 갖는 이유가 궁금한 것이다. 해당 분야에 대한 열정과 역할에 대한 헌신, 그리고 그동안 취업을 위해 준비했던 과정을 자세히 설명해라.

유사 질문	당신의 전공(경력)이 이 직무에 도움이 될까요? / 이 분야로 마음을 바꾸게 된 계기가 있을까요? 전공과 다른 분야에서 이루고 싶은 것이 무엇인가요?

대본	의료 관련 전공은 아니지만 제가 배운 지식이 이곳에 충분히 쓰일 곳이 있겠다 싶어 지원했습니다. 봉사활동을 하면서 도움이 필요한 사람들의 긍정적인 영향을 미칠 수 있는 일을 하고 싶었고, 이 병원에서 제가 배운 지식이 충분히 쓰일 곳이 있겠다 싶어 지원하게 되었습니다. 　충분하지는 않지만, 의학 관련 정보를 익히기 위해 의학 용어, 기본 환자 치료 및 해부학에 대한 온라인 과정을 이수했습니다. 또한, EHR 시스템을 공부하면서 환자 정보 관리, 정확한 기록 유지, 의료 환경에 관한 실무 경험도 쌓을 수 있었습니다. 　정확성과 빠른 컴퓨터 활용능력의 강점이 이 병원에 귀중한 보탬이 될 수 있다고 믿습니다. 감사합니다.

꼬리 질문 1	필요한 사람에게 긍정적인 영향을 미쳤던 자원봉사 경험을 구체적으로 설명할 수 있습니까?	지역 진료소에서 자원봉사 활동을 했었습니다. 노인 환자분들에게 약을 간단한 용어로 설명하는 시간을 가졌으며, 이해하기 쉬운 안내서를 만들기도 했습니다. 잠깐의 시간이었음에도 불구하고 매우 고마워하는 그분들을 보며 큰 보람을 느낄 수 있었습니다.
꼬리 질문 2	환자 정보 관리를 위해 EHR 시스템을 어떻게 사용했는지 예를 들어주실 수 있나요?	자원봉사 활동을 하면서 EHR 시스템을 활용해볼 기회가 있었습니다. 환자 데이터 입력, 기록 업데이트, 모든 정보가 정확하고 최신인지 확인하는 일을 담당했습니다. 이 경험으로 세부 사항에 대한 예리한 시각으로 정확한 환자 기록을 유지하는 노하우를 배울 수 있었습니다.

압박 질문

질문. 25　　　**간호조무사 직업의 단점이 무엇인가요?**

답변 요령.　역할에 대한 적합성 측면을 평가하고자 함이다. 직무에 주어지는 과제와 요구 사항을 현실적으로 이해하고, 높은 복원력으로 문제 해결에 임하는 자세를 보여줘야 한다.

유사 질문	간호조무사로서 가장 어려운 점은 무엇인가요? / 간호조무사로 일하면서 가장 스트레스를 받는 것은 무엇인가요? 이 역할을 수행하면서 겪는 어려움은 무엇인가요?	
대본		
꼬리 질문 1		
꼬리 질문 2		

질문. 26　　　**전공이 아닌데 우리 병원에 지원한 이유가 있을까요?**

답변 요령.　전공과 직접적인 관련이 없음에도 불구하고 해당 역할에 관심을 갖는 이유가 궁금한 것이다. 해당 분야에 대한 열정과 역할에 대한 헌신, 그리고 그동안 취업을 위해 준비했던 과정을 자세히 설명해라.

유사 질문	당신의 전공(경력)이 이 직무에 도움이 될까요? / 이 분야로 마음을 바꾸게 된 계기가 있을까요? 전공과 다른 분야에서 이루고 싶은 것이 무엇인가요?	
대본		
꼬리 질문 1		
꼬리 질문 2		

압박 질문

질문. 27　　**학교 교과 성적이 그렇게 높지 않은 이유가 있을까요?**

답변 요령.	솔직함과 책임감을 갖고 배운 내용과 경험을 통해 어떻게 성장했는지 강조하는 것이 중요하다. 학업 성과에 영향을 미쳤던 상황적 요인을 설명하고, 그 과정에서 있었던 배움을 설명해라.

유사 질문	학업 성적이 좋지 않은데 이를 개선하기 위한 노력이 있었나요?
	학업 성과에 영향을 미쳤던 과외 활동이나 경험이 있었을까요?

대본	사실 고등학교 1학년이 끝날 무렵까지 어깨 부상으로 운동부를 그만두지 않았다면 3년 내내 성적이 좋지 않았을 겁니디. 겨울 방학 동안 방황을 거치고 간호조무로 진로를 정하고 정말 염심히 공부했습니다 다행히 선생님들께서 많이 도와주셔서 2학년 1학기가 끝날 무렵 상위권까지 진입할 수 있었고, 간호조무사 자격증 또한 목표로 잡았던 기간 내에 취득할 수 있었습니다.
	남들보다 조금 늦게 결정하고 집중한 만큼, 그 어떤 지원자보다 더 성실하게 임할 자신이 있습니다. 운동 활동으로 시작된 관심이 해부학에 대한 힘으로 이어져 점수도 꾸준히 만점을 받아 왔습니다.
	이곳에서도 전문 의료진과 함께 환자 치료에 최선을 다하고, 정신적, 육체적으로 양질의 진료를 제공할 수 있도록 최선을 다하겠습니다. 감사합니다.

꼬리 질문 1	간호조무사라는 직업을 선택하게 된 동기는 무엇입니까?	운동을 하면서 물리치료에 대한 관심이 많았습니다. 하지만 세심함과 봉사활동에서의 진심을 보고 학교 담임 선생님께서 이쪽 진로를 추천해주셨고, 이에 부응해서 은혜를 갚는 것이 제 지원동기가 되었습니다.
꼬리 질문 2	어떻게 단기간에 성적이 오르고 자격증을 취득할 수 있었나요?	운동을 할 때부터 반복 학습은 누구보다 자신 있었습니다. 명확한 목표를 설정하고 학습 계획을 세운 다음에는 정해진 날짜, 정해진 시간에 단 한 번의 열외도 없이 게으름 피우지 않고 공부했습니다. 거기에 선생님들의 지원이 더해져 좋은 결과를 맺을 수 있었습니다.

질문. 28　　**관련 자격증이 생각보다 적은 것 같은데 이유가 있을까요?**

답변 요령.	현재 자격증 상태에 영향을 미친 제약이나 결정에 대해 설명하며, 앞으로의 전문성 개발 계획을 강조하는 것이 중요하다.

유사 질문	이력서에 제한된 자격증이 기재되어 있는 이유가 있을까요?
	이 직무에 대해 예상보다 적은 인증을 받은 이유가 있을까요?

대본	고등학교 1학년 때부터 담임 선생님과 교장 선생님의 추천으로 보건직 공무원 준비를 했었습니다. 그래서 시험 과목에만 올인해서 2년 가까이 공부를 하다 보니 자격증 공부에는 아무래도 소홀한 부분이 조금 있었습니다.
	2학년 2학기가 시작할 즈음 간호조무사로 진로를 변경하고 간호조무사 국가고시에 집중해서 자격증을 취득했고, 지금까지 관련 자격증 취득을 위해 학습을 이어 오고 있습니다. 또한, 전산 능력이 요구되는 일이 많을 것 같아 2달 전부터 방과 후로 매일 2시간씩 컴퓨터능력자격증 취득을 목표로 공부하고 있습니다
	공무원 공부를 하면서 '보건행정' 과목에서 여러 정책과 법규, 의료보장과 사회보험 등에 대한 지식을 많이 넓힐 수 있있던 것도 저의 강점이라 덧붙이고 싶습니다. 다른 관점이지만 더 나은 역량으로 제 맡은

꼬리 질문 1	보건공무원을 목표로 했으나 간호조무사라는 직업으로 방향을 달리하게 된 동기는 무엇입니까?	학교에서 간호조무사를 준비하는 친구들이 실습을 하는 걸 옆에서 지켜보면서 관심이 많이 생겼습니다. 그리고 제가 공부했던 건강 정책 및 의료 보안에 대한 이해가 간호조무사로서의 능력을 향상할 수 있는 탄탄한 기반을 제공할 거라 확신했습니다.
꼬리 질문 2	공무원 시험을 공부하면서 습득한 구체적인 정책, 법률, 의료보안 지식에 대해 자세히 알려주실 수 있나요?	국민건강보험제도, 의료행위에 적용되는 공중보건법, 의료 보장 규정 등 다양한 보건 정책에 대해 배웠습니다. 아울러 보안 및 환자 안전을 통해 환자 권리를 보호하고 고품질 진료를 보장하기 위해 의료 규정 준수의 중요성도 같이 배웠습니다.

지원기관 :   *직무 :*

질문. 27   **학교 교과 성적이 그렇게 높지 않은 이유가 있을까요?**

답변 요령.   솔직함과 책임감을 갖고 배운 내용과 경험을 통해 어떻게 성장했는지 강조하는 것이 중요하다. 학업 성과에 영향을 미쳤던 상황적 요인을 설명하고, 그 과정에서 있었던 배움을 설명해라.

유사 질문	학업 성적이 좋지 않은데 이를 개선하기 위한 노력이 있었나요?
	학업 성과에 영향을 미쳤던 과외 활동이나 경험이 있었을까요?
대본	
꼬리 질문 1	
꼬리 질문 2	

지원기관 :   *직무 :*

질문. 28   **관련 자격증이 생각보다 적은 것 같은데 이유가 있을까요?**

답변 요령.   현재 자격증 상태에 영향을 미친 제약이나 결정에 대해 설명하며, 앞으로의 전문성 개발 계획을 강조하는 것이 중요하다.

유사 질문	이력서에 제한된 자격증이 기재되어 있는 이유가 있을까요?
	이 직무에 대해 예상보다 적은 인증을 받은 이유가 있을까요?
대본	
꼬리 질문 1	
꼬리 질문 2	

압박 질문

질문. 29　　　다른 병원에는 지원하지 않았나요?

답변 요령.　선택한 기관에 대해 지원자의 관심과 헌신도를 확인하려는 질문이다. 본인에게 있어 우선순위로 가치를 두는 것이 무엇인지, 경력 목표와 함께 솔직하게 답할 수 있어야 한다.

유사 질문	저희 병원에 지원하신 이유는 무엇인가요? / 우리 병원에 대해 무엇을 알고 있나요? 이 직무에 매력을 느낀 이유가 무엇인가요? / 우리 병원의 어떤 면이 가장 매력적이라고 생각하나요?
대본	보라매 병원에도 지원했습니다. 실습 때 자원봉사를 하면서 보라매 병원이 다양한 지역에 의료 서비스를 제공하는 모습을 보았습니다. 그 경험을 통해 보라매 병원의 헌신과 환자 중심의 진료 철학에 깊은 인상을 받았습니다. 　그럼에도 불구하고 본원에 또 지원한 이유는 제가 성장하고 싶은 이상과 가장 맞아떨어지기 때문입니다. 병원의 체계적인 장비 관리와 환경 관리 시스템, 그리고 전문가 육성을 교육 시스템은 제 전문성을 발전시키는 데 큰 도움이 될 것이라고 생각합니다. 이상입니다.
꼬리 질문 1	그럼 둘 다 합격하면 어디로 갈 건가요?	두 곳 모두 합격한다면, 제가 더 성장할 수 있는 이 병원을 선택하겠습니다. 제 철학과 가치는 능력이 있을 때 가장 크게 영향력을 발휘할 거라 생각하기 때문입니다. 이상입니다.
꼬리 질문 2	여기서 일할 준비가 되셨나요?	네, 물론입니다. 학교에서도 실습 중에도 이 병원에서 일하는 시뮬레이션을 늘 돌리며 생활해 왔습니다. 겸손하면서도 열정적으로, 헌신하면서도 프로패셔널하게 환자와 동료, 선배를 대하는 일꾼으로 성장하고 싶습니다.

질문. 30　　　어디까지 승진하고 싶으세요?

답변 요령.　지원자의 장기적인 경력 목표와 계획을 이해하고, 그 목표가 조직의 목표와 일치하는지를 알고자 함이다. 정직하고 현실적이어야 하며, 성장과 발전 가능성을 보여줄 수 있어야 한다.

유사 질문	장기적인 경력 목표는 무엇입니까? / 경력 목표를 어떻게 달성할 계획인가요? 5년 후 자신의 모습은 무엇입니까? / 10년 후 자신의 모습은 무엇입니까?
대본	사실 이곳에서의 승진 시스템을 잘은 모릅니다. 그래서 간호조무사로서 제가 성장하고 싶은 단계를 말씀드리겠습니다. 먼저, 간호조무사로서의 역할에 충실하며, 환자 관리 및 의료 서비스 지원 업무에 능숙해지도록 노력하겠습니다. 그리고 그 과정 중에 추가적인 교육과 자격증을 취득하여 더 많은 책임과 역할을 맡을 수 있는 기회를 얻고 싶습니다. 장기적으로는 간호사 자격증을 취득하고 싶습니다. 그렇게 환자 관리와 의료 지원 업무에서 쌓인 많은 경험을 바탕으로 더 많은 책임을 맡고, 팀 내에서 중요한 역할을 수행할 수 있는 기회를 찾고 싶습니다. 이상입니다.
꼬리 질문 1	간호사 자격증을 취득하려는 동기는 무엇인가요?	의료 현장에서 제 역할의 범위를 더 넓히고 싶습니다. 그리고 이 목표를 위해 공부하는 과정이 제 개인적인 성취감과 전문성 향상에도 큰 도움이 될 것이라 생각합니다. 이상입니다.
꼬리 질문 2	일하면서 추가 교육과 자격증을 어떻게 관리할 계획인가요?	우선은 병원의 지원 프로그램과 교육 기회를 최대한 활용하여 지속적으로 학습하고 성장하고자 합니다. 그리고 나머지 시간은 인강과 주말 학원을 통해 부족한 부분을 채울 생각입니다. 이상입니다.

압박 질문

질문. 29   다른 병원에는 지원하지 않았나요?

답변 요령. 선택한 기관에 대해 지원자의 관심과 헌신도를 확인하려는 질문이다. 본인에게 있어 우선순위로 가치를 두는 것이 무엇인지, 경력 목표와 함께 솔직하게 답할 수 있어야 한다.

유사 질문	저희 병원에 지원하신 이유는 무엇인가요? / 우리 병원에 대해 무엇을 알고 있나요? 이 직무에 매력을 느낀 이유가 무엇인가요? / 우리 병원의 어떤 면이 가장 매력적이라고 생각하나요?	
대본		
꼬리 질문 1		
꼬리 질문 2		

질문. 30   어디까지 승진하고 싶으세요?

답변 요령. 지원자의 장기적인 경력 목표와 계획을 이해하고, 그 목표가 조직의 목표와 일치하는지를 알고자 함이다. 정직하고 현실적이어야 하며, 성장과 발전 가능성을 보여줄 수 있어야 한다.

유사 질문	장기적인 경력 목표는 무엇입니까? / 경력 목표를 어떻게 달성할 계획인가요? 5년 후 자신의 모습은 무엇입니까? / 10년 후 자신의 모습은 무엇입니까?	
대본		
꼬리 질문 1		
꼬리 질문 2		

지원기관 : *삼성서울병원* **직무** : *간호조무*

질문. 31 ──── 어려운 환자 상황을 처리했던 경험을 예로 들어주실 수 있나요?

유사질문. 환자나 그 가족에게 정서적 지원을 제공해야 했던 때를 설명하십시오.
여러 가지 문제가 있는 환자를 어떻게 다뤄야 할까요?

대본.

실습 중 한 보호자께서 허리 부상으로 거동이 힘드신 아내를 휠체어에 태우고 오셨습니다. 연세가 좀 있으셨는데 한눈에 보기에도 얼굴에 당황한 표정이 가득했습니다. 담당 간호사는 다른 업무가 있어 저에게 일 처리를 부탁했고, 저는 살며시 다가가 제 소개를 하고, 경청을 시작했습니다.

문제는 보험 서류를 확보해야 하는데 보험설계사의 설명이 어려워 어떤 서류를 받아야 하는지 모르겠다는 것이었습니다. 저는 그분에게 양해를 구하고 대신 보험 설계사에게 연락 후, 필요한 요건을 이해한 다음에 어르신이 필요한 서류를 출력하고, 스캔해서 파일 전송하는 것까지 도와드렸습니다.

그 보호자분은 집에 가시기 전까지 자판기에서 음료수까지 뽑아 주시며 저에게 깊은 감사를 표하셨습니다. 별거 아닌 일이었을지도 모르지만 제가 할 수 있는 작은 일이 누군가에게는 큰 도움이 될 수도 있겠다는 생각에 도움의 의미를 다시 한 번 돌아봤던 경험이었습니다. 감사합니다.

질문. 32 ──── 바쁜 의료 환경에서 업무의 우선순위를 어떻게 정합니까?

유사질문. 긴박한 의료 환경에서 여러 작업을 어떻게 처리합니까?
한 번에 많은 작업을 처리할 때 어떻게 체계적으로 정리합니까?

대본.

환자의 안전과 긴급한 의료 요구가 최우선이기 때문에 환자에게 즉각적인 조치가 필요하거나 응급 상황이 발생하면 즉시 해결합니다. 다음 문서 작성 및 관리와 같이 덜 긴급한 작업을 처리합니다. 그 후에 장비 유지 관리 및 피드백이라고 생각합니다.

저는 오류를 줄이고 시스템을 구축하기 위해 '리마인더' 어플과 'smemo' 어플을 활용해 작업 목록을 작성하고 유지, 관리하고 있습니다. 또한, 조직 내에서 팀원들과 정기적으로 소통하여 우선순위와 작업량을 확실히 정하는 편입니다. 이러한 협업이 평소에도 작업을 보다 효율적으로 관리하고, 위기 시에도 신속하고 빠른 응대가 가능하기 때문입니다. 이상입니다.

질문. 33 ──── 다른 의료 전문가들과 어떻게 협력합니까?

유사질문. 조직에서 여러 팀원들과 일한 경험을 설명해 주시겠습니까?
동료들과의 효과적인 의사소통을 어떻게 보장합니까?

대본.

실습을 하면서 환자 치료에 가장 중요하다고 느낀 건 신속성과 정확성이었습니다. 그래서 그 이후로 뭔가 전달할 내용이 있을 때 환자에게는 가장 쉽고 간략하게 전달했고, 상급자에게는 최대한 정확한 정보로 치료에 차질이 없도록 노력했습니다.

그리고 저와 다른 파트에서 일하시는 분들과의 소통 또한 중요하게 생각합니다. 행정 직원, 보안 직원 등 어려운 일이 있을 때 서로에게 힘이 되는 존재임을 알기에 이들의 역할과 전문성의 가치를 인정하며 존중으로 그들을 대합니다. 아직은 치료 과정에 기여하는 역할이 적지만 좀 더 전문성과 역량을 갖추어 조금 큰 도움으로 한 팀에 도움이 되도록 노력하겠습니다. 감사합니다.

지원기관 :   직무 :

질문. 31 어려운 환자 상황을 처리했던 경험을 예로 들어주실 수 있나요?

유사질문. 환자나 그 가족에게 정서적 지원을 제공해야 했던 때를 설명하십시오.
여러 가지 문제가 있는 환자를 어떻게 다뤄야 할까요?

대본.

질문. 32 바쁜 의료 환경에서 업무의 우선순위를 어떻게 정합니까?

유사질문. 긴박한 의료 환경에서 여러 작업을 어떻게 처리합니까?
한 번에 많은 작업을 처리할 때 어떻게 체계적으로 정리합니까?

대본.

질문. 33 다른 의료 전문가들과 어떻게 협력합니까?

유사질문. 조직에서 여러 팀원들과 일한 경험을 설명해 주시겠습니까?
동료들과의 효과적인 의사소통을 어떻게 보장합니까?

대본.

지원기관 : 아주대학교병원   *직무 :* 간호조무

질문. 34 ──── **의료 장비 세척 및 소독에 대한 경험은 어떻습니까?**

유사질문. 의료 장비가 제대로 소독되었는지 어떻게 확인하나요?
의료 도구 및 장비의 청결을 유지하기 위한 절차는 무엇입니까?

대본.

의료 장비 세척 및 소독은 고등학교 1학년 첫 수업부터 귀에 못이 박히게 들어온 터라 누구보다도 자신 있습니다 소독제의 종류와 적절한 사용법, 제조업체 지침 준수의 중요성을 배웠고, 지금까지도 청소한 날짜, 시간, 장비 유형을 기록하면서 청소 활동 일지를 작성해왔습니다.

실습 때는 주로 각 환자 사용 후 혈압 커프, 체온계, 검사대 등을 청소했고, 치료 전후에는 청진기 등 간단한 도구는 알코올 물티슈를 사용하고, 오토클레이브 등 복잡한 장비의 경우에는 단계별로 소독 절차를 따랐습니다. 또한, 항상 장갑, 마스크 등 적절한 개인 보호 장비를 착용하여 멸균 환경을 유지하려 애썼습니다. 이상입니다

질문. 35 ──── **전화 상담 및 예약 관리 경험을 설명해주세요.**

유사질문. 환자 만족을 위해 전화 상담은 어떻게 하나요?
환자 예약 및 후속 통화를 어떻게 관리합니까?

대본.

솔직히 처음에는 경청과 공감이 중요할 것 같아 너무 길게 통화를 해서 선배한테 주의를 듣기도 했습니다. 이후 길게 이야기를 듣는 게 중요한 게 아니라 필요한 이야기를 전하고 듣는 것이 보다 많은 환자들에게 더 나은 치료의 기회를 주는 것임을 깨달았습니다. 이후 진료 시간, 준비 사항, 진료 과정 등의 정보를 명확히 전달하고 환자들의 문의나 불만에 신속하게 대응하려 애썼습니다. 처음에는 대응 방법을 몰라 선배들에게 질문하고 도움을 받기가 일수였는데 한 달쯤 일을 하다 보니 속도도 훨씬 빨라졌고, 적절한 부서나 담당자에게 연결하여 문제를 해결하는 부분도 훨씬 수월해졌습니다.

예약은 치료 전날 환자들에게 전화나 메시지로 예약 확인 및 알림을 하여 더블 체크하였고, 긴급 상황이나 환자의 요청에 따라 예약을 유연하게 조정하여 환자들이 필요한 진료를 받을 수 있도록 했습니다. 이상입니다.

질문. 36 ──── **의료 규정 및 정책 준수를 어떻게 보장합니까?**

유사질문. 의료 규정 및 정책에 대한 최신 정보를 어떻게 유지합니까?
의료법과 지침을 준수하기 위해 어떤 조치를 취합니까?

대본.

우선 모든 환자 정보와 치료 과정을 정확하게 기록하고 문서화하여 규정을 준수하는 것이 필수입니다. 또한, 정기적으로 업무와 절차를 점검하여 규정 준수 여부를 확인하고 필요한 경우 수정해야 합니다.

저는 실습 때 주로 환자에게 치료 과정과 관련된 모든 정보를 명확히 설명하고, 동의서를 작성하도록 도왔습니다. 이후 해당 동의서를 철저히 검토하여 모든 항목이 빠짐없이 기재되었는지 확인하고, 환자의 서명을 받은 후 안전하게 보관했습니다. 이를 통해 환자와 병원의 안전을 모두 보장할 수 있었습니다.

이와 같은 절차를 통해 의료 규정 및 정책을 준수하는 것이 환자들에게 안전하고 신뢰할 수 있는 의료 서비스를 제공하는 것이라고 생각합니다. 이상입니다.

지원기관 :　　　　　　　　　*직무 :*

질문. 34　　**의료 장비 세척 및 소독에 대한 경험은 어떻습니까?**

유사질문.　의료 장비가 제대로 소독되었는지 어떻게 확인하나요?
　　　　　　의료 도구 및 장비의 청결을 유지하기 위한 절차는 무엇입니까?

대본.

질문. 35　　**전화 상담 및 예약 관리 경험을 설명해주세요.**

유사질문.　환자 만족을 위해 전화 상담은 어떻게 하나요?
　　　　　　환자 예약 및 후속 통화를 어떻게 관리합니까?

대본.

질문. 36　　**의료 규정 및 정책 준수를 어떻게 보장합니까?**

유사질문.　의료 규정 및 정책에 대한 최신 정보를 어떻게 유지합니까?
　　　　　　의료법과 지침을 준수하기 위해 어떤 조치를 취합니까?

대본.

실무 질문

지원기관 : 인하대학교병원   **직무 :** 간호조무

질문. 37   **환자의 기밀을 유지하기 위해 어떤 조치를 취합니까?**

유사질문.
환자의 비밀을 보장하기 위해 어떤 관행을 따르나요?
민감한 환자 정보는 어떻게 처리하나요?

대본.

실습을 받을 때 개인정보 보호법과 병원의 규정 교육을 따로 받았었습니다. 하지만 저에게 개인정보 접근 권한 권리가 없어서 이론적으로 알고 있는 부분에 대해서 설명하겠습니다.

환자의 개인성보는 접근알 수 있는 권안을 엄격히 제한하고, 필요한 경우에민 접근합니다. 전자 건강 기록 시스템(EHR)을 사용할 때도 강력한 비밀번호와 이중 인증을 사용하여 보안을 강화합니다. 환자의 진료 기록을 다룰 때도 다른 사람이 볼 수 없도록 주의하고, 사용 후에는 즉시 잠금장치가 있는 파일 캐비닛에 보관합니다. 환자와 소통할 때는 기밀 정보를 공개하지 않도록 주의하며, 필요한 경우 비공개 장소에서 대화합니다. 마지막으로 더 이상 필요하지 않은 환자의 기밀문서는 보안 폐기 절차에 따라 안전하게 폐기합니다. 이상입니다.

질문. 38   **치료 장비의 책임 있는 사용을 보장하기 위한 귀하의 접근 방식은 무엇입니까?**

유사질문.
의료기기의 안전한 사용을 어떻게 보장하나요?
의료기기를 올바르게 사용하기 위해 어떤 절차를 따르나요?

대본.

일단 사용하는 장비 사용에 대한 정확한 교육을 받고, 제조업체의 지침과 병원의 절차를 엄격히 준수합니다. 그리고 사용 시에는 장비의 정기 점검 일정을 확인하고, 필요 시 기술 지원 팀에 연락하여 유지보수를 시행합니다. 위생 관리 또한 중요합니다. 각 환자 사용 후 철저히 소독하여 교차 감염을 방지합니다. 청소 후에는 장비 사용과 관련된 모든 활동(장비 사용 일지에 사용 시간, 사용자, 유지보수 내역 등)을 정확하게 기록하여 추적할 수 있도록 합니다.

질문. 39   **불안하거나 속상한 환자와의 의사소통은 어떻게 처리하나요?**

유사질문.
환자 불만 처리에 대한 귀하의 접근 방식을 설명하십시오.
환자나 가족이 언어적으로 공격적이라면 어떻게 대처하시겠습니까?
환자가 치료에 불만을 표시하면 어떻게 하시겠습니까?

대본.

경청과 공감도 중요하지만 차분한 태도 유지와 여유로운 태도 또한 중요하다고 생각합니다. 감정을 조절하고 부드럽고 차분한 목소리로 "제가 도와드릴 수 있는 부분을 말씀해 주세요"라고 말합니다. 다음에는 환자가 이해하기 쉽도록 명확하고 간결하게 정보를 제공하며, 복잡한 의료 용어를 피합니다. 문제를 파악 후에는 가능한 해결책을 제시합니다. 필요 시 상급자나 다른 팀원과 협력하여 문제를 해결합니다. 추후에는 상황이 해결되었는지 확인하고 추가로 필요한 지원을 제공하기 위해 후속 조치를 취합니다. 이상입니다.

지원기관 :　　　　　　　　　　　*직무 :*

질문. 37 **환자의 기밀을 유지하기 위해 어떤 조치를 취합니까?**

유사질문. 환자의 비밀을 보장하기 위해 어떤 관행을 따르나요?
민감한 환자 정보는 어떻게 처리하나요?

대본.

질문. 38 **치료 장비의 책임 있는 사용을 보장하기 위한 귀하의 접근 방식은 무엇입니까?**

유사질문. 의료기기의 안전한 사용을 어떻게 보장하나요?
의료기기를 올바르게 사용하기 위해 어떤 절차를 따르나요?

대본.

질문. 39 **불안하거나 속상한 환자와의 의사소통은 어떻게 처리하나요?**

유사질문. 환자 불만 처리에 대한 귀하의 접근 방식을 설명하십시오.
환자나 가족이 언어적으로 공격적이라면 어떻게 대처하시겠습니까?
환자가 치료에 불만을 표시하면 어떻게 하시겠습니까?

대본.

실무 질문

지원기관 : 서울대학교병원   *직무 :* 간호조무

질문. 40 _____ **복잡한 의료 정보를 환자에게 전달해야 했던 때를 설명하십시오.**

유사질문. 환자가 자신의 치료 계획을 이해했는지 어떻게 확인합니까?
환자에게 복잡한 의료 용어를 알기 쉽게 설명했던 사례가 있을까요?

대본.

실습 중 복잡한 건 아니지만, 의류 정보를 환자에게 전달할 때 그림을 많이 사용했었습니다. 제가 그림에 좀 소질이 있어 일부러 펜이 있는 핸드폰을 사용해서 필요할 때 그림으로 설명을 많이 합니다. 그러면서도 최대한 환자가 이해하기 쉬운 언어로 설명을 시작했습니다. 어려운 의학 용어를 사용하지 않고, 비유와 예를 들어 설명했습니다. 마지막에는 모든 정보를 종합적으로 요약하고, 중요한 포인트를 다시 한번 강조하고 추가로 궁금한 점이 있는지 물었습니다. 이상입니다.

질문. 41 _____ **우수한 환자 서비스를 제공하기 위해 어떤 전략을 사용합니까?**

유사질문. 환자에게 고품질의 서비스를 어떻게 보장합니까?
탁월한 환자 치료를 제공하기 위해 어떤 기술을 사용합니까?

대본.

치유 확률이 높은 치료, 최신 의료 장비, 편하게 주차할 수 있고, 대기할 수 있는 시설 등이 환자에게 만족감을 줄 것입니다. 이런 부분은 제가 할 수 없는 부분이라 저의 역할 안에서 말씀드리자면
첫째, 명확한 의사소통입니다. 환자들과의 모든 의사소통에서 명확하고 친절한 태도를 유지하며, 어려운 의학 용어는 쉽게 풀어서 설명합니다.
둘째, 팀워크 강화입니다. 간호사, 의사, 행정 직원 등과 협력하여 환자의 전반적인 치료 과정이 원활하게 진행되도록 합니다.
셋째, 안전하고 편안한 환경 구성입니다. 정기적으로 의료 장비를 청소 및 소독하고, 깔끔하게 유지해서 환자로 하여금 위생 및 안전에 대해서 만족할 수 있도록 제 역할을 수행합니다.

질문. 42 _____ **상담 로그에서 명확하고 정확한 의사소통을 어떻게 보장합니까?**

유사질문. 상담 기록의 정확성과 명확성을 어떻게 유지합니까?
상세하고 정확한 의료 기록을 유지하기 위해 어떤 방법을 사용합니까?

대본.

1. 명확하고 간건한 기록: 불필요한 정부를 배제하고 핵심적인 내용을 집중하여 작성합니다.
2. 표준화된 양식 사용: 병원에서 제공하는 표준화된 양식을 사용하여 일관된 방식으로 정보를 기록합니다.
3. 정확한 의료 용어 사용: 환자와의 대화에서 사용된 용어를 그대로 반영해서 메모합니다.
4. 실시간 기록: 상담 중이나 상담 직후에 실시간으로 기록을 작성하여 정보의 정확성을 높입니다. 기억에 의존하지 않고, 즉각적인 기록을 통해 정확한 정보를 유지합니다.
5. 검토와 확인: 정보에 오류가 없는지 확인하고, 필요한 경우 상급자나 팀원에게 확인을 요청합니다.
6. 프라이버시 및 기밀 유지: 환자의 민감한 정보는 필요 최소한으로 기록하고, 접근 권한이 있는 사람만 열람할 수 있도록 보안 조치를 취합니다.

지원기관 :   *직무 :*

질문. 40   **복잡한 의료 정보를 환자에게 전달해야 했던 때를 설명하십시오.**

유사질문.   환자가 자신의 치료 계획을 이해했는지 어떻게 확인합니까?
환자에게 복잡한 의료 용어를 알기 쉽게 설명했던 사례가 있을까요?

대본.

질문. 41   **우수한 환자 서비스를 제공하기 위해 어떤 전략을 사용합니까?**

유사질문.   환자에게 고품질의 서비스를 어떻게 보장합니까?
탁월한 환자 치료를 제공하기 위해 어떤 기술을 사용합니까?

대본.

질문. 42   **상담 로그에서 명확하고 정확한 의사소통을 어떻게 보장합니까?**

유사질문.   상담 기록의 정확성과 명확성을 어떻게 유지합니까?
상세하고 정확한 의료 기록을 유지하기 위해 어떤 방법을 사용합니까?

대본.

실무 질문

지원기관 : 서울아산병원　　　　*직무 : 간호조무*

질문. 43　　　**언어 장벽이 있는 환자와의 의사소통은 어떻게 처리합니까?**

유사질문.　다른 언어를 사용하는 환자들과 어떻게 소통합니까?
원어민이 아닌 사람들과의 효과적인 의사소통을 어떻게 보장합니까?

대본.

병원에서 통역 서비스를 제공한다면 적극 활용하겠습니다. 하지만 이용이 힘들다면 제가 직접 소통하도록 하겠습니다. 영어를 꾸준히 공부해왔기 때문에 간단한 의사소통은 진행할 자신이 있습니다. 하지만 다른 나라 언어 소통에는 문제가 있기에 최대한 실시간 인공지능 번역폰을 사용해서 소통하겠습니다.

　그럼에도 불구하고 정보 오류가 있어서는 안 되기에 한 번 더 질문하고, 동료나 상급자와 더블 체크하면서 환자의 안전과 정보 보안에 만전을 기하겠습니다.

질문. 44　　　**환자 일정 및 치료 계획의 변화에 어떻게 적응합니까?**

유사질문.　환자의 치료 계획이 예기치 않게 변경되면 어떻게 적응합니까?
환자의 일정 변경에 맞춰 조정해야 했던 사례가 있을까요?

대본.

1. 침착함과 평정심 유지 : 환자 일정이 갑자기 변경되면 새로운 일정에 맞추어 다른 환자들의 일정을 조정하고, 가능한 한 빨리 새로운 계획을 수립합니다.
2. 명확한 의사소통 : 환자와 의료팀과의 명확한 의사소통을 통해 변경 사항을 신속하게 전달하여 모든 관련자가 변경 사항을 알고 적절히 대응할 수 있도록 합니다.
3. 우선순위 설정 : 변경된 일정과 계획에 따라 우선순위를 설정하여 중요한 작업을 먼저 처리합니다.
4. 문제 해결 능력 : 치료 계획 변경으로 인해 필요한 자원이 달라질 경우, 즉시 필요한 자원을 확보하고 대체 방안을 마련하여 환자가 차질 없이 치료를 받을 수 있도록 합니다.
5. 기록 및 추적 : 변경된 일정과 치료 계획을 정확하게 기록하고 추적하여 모든 관련 정보가 최신 상태로 유지되도록 합니다.

질문. 45　　　**의료 장비에 문제가 발생하면 어떤 조치를 취합니까?**

유사질문.　의료기기 오작동시 어떻게 대처하시나요?
장비 관련 문제를 해결하기 위해 어떤 조치를 취합니까?

대본.

1. 장비 사용 중지 : 문제가 발생한 장비는 사용을 즉시 중지하고 전원을 끕니다. 비고 즉시 환자의 상태를 확인하고 응급 처치가 필요한 경우 신속히 조치합니다.
2. 문제 보고 : 장비 문제를 발견한 즉시 상급자에게 알리고, 필요한 경우 의료기기 관리 부서에 문제를 보고합니다.
3. 대체 장비 사용 : 문제가 해결될 때까지 대체 장비를 사용하여 환자 진료가 중단되지 않도록 합니다.
4. 문제 진단 및 해결 : 문제의 원인을 진단하고 해결하기 위해 기술 지원 팀이나 장비 제조업체에 연락합니다. 장비의 유지보수 일지를 검토하여 문제가 반복되지 않도록 합니다.
5. 문서화 : 발생한 문제와 조치 내용을 상세히 기록하여 추후 참조할 수 있도록 합니다.

지원기관 :   *직무 :*

질문. 43 　언어 장벽이 있는 환자와의 의사소통은 어떻게 처리합니까?

유사질문. 다른 언어를 사용하는 환자들과 어떻게 소통합니까?
원어민이 아닌 사람들과의 효과적인 의사소통을 어떻게 보장합니까?

대본.

질문. 44 　환자 일정 및 치료 계획의 변화에 어떻게 적응합니까?

유사질문. 환자의 치료 계획이 예기치 않게 변경되면 어떻게 적응합니까?
환자의 일정 변경에 맞춰 조정해야 했던 사례가 있을까요?

대본.

질문. 45 　의료 장비에 문제가 발생하면 어떤 조치를 취합니까?

유사질문. 의료기기 오작동시 어떻게 대처하시나요?
장비 관련 문제를 해결하기 위해 어떤 조치를 취합니까?

대본.

질문. 46 환자가 치료를 거부하는 상황에서는 어떻게 대처하나요?

유사질문. 환자가 치료 계획에 동의하지 않는 상황을 어떻게 처리합니까?
환자가 의학적 조언을 따르지 않을 경우 어떻게 합니까?

대본.

1. 경청과 공감 : 먼저 환자의 말을 경청하고 그들이 왜 치료를 거부하는지 이해하려고 노력합니다.
2. 정보 제공 : 환자가 이해할 수 있도록 치료의 목적, 과정, 기대되는 결과, 그리고 치료를 받지 않았을 때 발생할 수 있는 위험에 대해 명확하고 간결하게 설명합니다.
3. 대안 제시 : 치료 중단으로 환자의 건강에 문제가 의심된다면 여러 대안을 제시하며 지속적 치료를 유도합니다.
4. 모니터링 : 계속해서 환자가 치료를 거부하는 경우, 지속적으로 의사소통을 유지하며 상황을 모니터링하다가 환자가 마음을 바꾸거나 지원이 필요할 때 도움을 줄 수 있도록 준비합니다.
5. 팀과의 협력 : 필요할 경우, 담당 의사나 상급자와 협력하여 환자의 상태와 치료 거부 이유를 논의하고, 최선의 해결책을 모색합니다.

질문. 47 본인이 한 실수에 대하여 책임을 진 적이 있나요?

유사질문. 당신이 저지른 실수를 바로잡기 위해 어떤 조치를 취합니까?
본인이나 다른 사람의 실수를 모른 체 지나간 적이 있나요?

대본.

고등학교 1학년 때, 보건 과학 수업에서 '환자 케어 기술'에 대한 발표를 준비하던 중, 제가 자료 조사를 담당하면서 데이터의 신뢰성을 확인하지 않아 발표 도중 문제가 있음을 알아차렸습니다. 저 혼자만의 문제가 아니라 조원 전체에게 피해를 주는 일이었기에 고민을 하다가 결국 저는 즉시 제 실수를 인정하고 선생님께 알렸습니다. 다행히 선생님께서는 다시 준비 후 발표를 준비할 기회를 주셨고, 조원들도 제 실수를 용서해주었습니다. 이를 통해 신뢰할 수 있는 자료를 사용하는 것의 중요성과 함께 잘못을 인정하고 성장하는 법을 배우게 되었습니다. 이후에는 항상 데이터를 철저히 확인하는 습관을 지니게 되었고, 평소에도 같이 하는 동료들에게 신뢰를 주는 행동을 하기 위해 최선을 다하고 있습니다. 감사합니다.

질문. 48 잠재적인 안전 문제를 해결했던 경험이 있나요?

유사질문. 잠재적인 문제가 심각해지기 전에 식별한 사례가 있을까요?
안전 문제를 해결한 예를 들어주실 수 있나요?

대본.

잠재적인 문제를 해결했던 것은 잘 모르겠습니다. 하지만 예전에 <터미널>이란 영화에서 물기가 있는 바닥에서 사람들이 많이 쓰러지는 것을 보고, 그 이후에는 늘 바닥에 물기가 있으면 닦는 것이 습관이 되었습니다. 그래서 실습 중에도 병원 곳곳에 물기나 이물질이 있다면 청소를 해서 미연에 사고를 방지했습니다.

지원기관 :　　　　　　　　　　*직무 :*

질문. 46　　　　**환자가 치료를 거부하는 상황에서는 어떻게 대처하나요?**

유사질문.　　환자가 치료 계획에 동의하지 않는 상황을 어떻게 처리합니까?
　　　　　　　환자가 의학적 조언을 따르지 않을 경우 어떻게 합니까?

대본.

질문. 47　　　　**본인이 한 실수에 대하여 책임을 진 적이 있나요?**

유사질문.　　당신이 저지른 실수를 바로잡기 위해 어떤 조치를 취합니까?
　　　　　　　본인이나 다른 사람의 실수를 모른 체 지나간 적이 있나요?

대본.

질문. 48　　　　**잠재적인 안전 문제를 해결했던 경험이 있나요?**

유사질문.　　잠재적인 문제가 심각해지기 전에 식별한 사례가 있을까요?
　　　　　　　안전 문제를 해결한 예를 들어주실 수 있나요?

대본.

지원기관 : 가천대길병원   *직무 :* 간호조무

질문. 49 **리더십을 가지고 문제를 해결했던 경험이 있나요?**

유사질문. 문제 해결을 위해 팀을 이끌었던 경험이 있나요?
어려움을 해결하기 위해 앞장섰던 때를 설명해보세요.

대본.

고등학교 2학년 발표 수업 때문에 조별 프로젝트를 진행하던 중, 조원 중 두 명이 독감으로 준비에 차질이 생겼습니다. 그래서 남은 인원은 저를 포함한 두 명이 전부였습니다. 저는 즉시 남은 팀원과 회의를 진행하고 과제를 재분배했습니다. 직접 방문하기로 했던 일정을 자료 조사로 대체하고. 편집 영상이 들어가기로 던 부분을 PPT로 대체했습니다. 그리고 발표 자료 완성 일자를 이틀 앞당겨 완성하고, 이틀 동안 참여가 힘들었던 팀원들과 시뮬레이션하면서 수정·보완하기로 했습니다. 그리고 수정된 계획은 평가에 차질이 없도록 사전에 선생님께 보고했습니다.

이러한 조치 덕분에 프로젝트는 제시간에 완성되었고, 팀원 모두의 협력으로 성공적인 발표를 할 수 있었습니다. 이 경험을 통해서 예상치 못한 상황에서 유연하게 대응하는 문제 해결 능력과 효과적인 소통 그리고 팀워크의 중요성을 배울 수 있었습니다. 이상입니다.

질문. 50 **업무 프로세스나 절차를 개선한 사례가 있을까요?**

유사질문. 작업 환경에서 프로세스 개선을 구현한 적이 있습니까?
본인이 속한 조직에서 절차를 간소화한 예를 들어주실 수 있나요?

대본.

저희 학교는 연례 행사로 건강 박람회를 진행했습니다. 1학년 때 박람회에 참여했을 때 외부인의 참여도가 예상보다 저조한 것을 보고 궁금했습니다. 그래서 2학년 때 학생회 임원들과 전년도를 포함한 과거 건강 박람회에 대한 피드백을 수집했습니다.

그 과정에서 너무 많은 회의 때문에 마케팅 기간이 짧아지고 홍보가 부족하다는 것을 알게 되었습니다. 이를 해결하기 위해 회의 기간을 단축하고, 학생들로부터 아이디어를 이틀 동안 수집한 후 한 번의 회의 후 바로 선택된 아이디어를 실행하는 것을 제안했습니다. 이후 학교 웹사이트 게시하는 것 이외에도 다중 채널 커뮤니케이션 전략으로 이메일을 통해 상세 일정을 배포하고, 학교 주변에 포스터 게시하며, 소셜미디어를 통해 홍보했습니다. 또한, 학생들에게 부모를 추천한 사람들 중 추첨으로 상품을 제공하는 이벤트로 마련했고 그 덕분에 참여율이 전년 대비 30% 이상 증가했습니다. 이상입니다.

질문. 51 **환자가 약 복용을 거부하는 상황을 어떻게 처리하시겠습니까?**

상황질문.

대본.

약물 치료에 대한 결정을 내릴 권한이 없기 때문에, 제 최우선 순위는 환자의 우려를 경청하고 초기 지원을 제공하며 의사와의 소통을 촉진하는 것입니다. 환자에게 공감하며 접근하고, 약에 대한 우려를 신중히 듣고 그들의 걱정을 인정할 것입니다. 그런 다음, 그들의 우려가 중요하며 이를 의사에게 알릴 것임을 설명하겠습니다. 문제를 더 논의하기 위해 의사와의 만남을 주선하여 환자가 지원받고 있음을 느끼고 그들의 목소리가 들린다는 것을 확신시킬 것입니다. 또한, 이용 가능한 교육 자료를 제공하고, 의사와 직접 대화하기 전까지 그들의 걱정을 완화하기 위해 즉각적인 질문에 답변하겠습니다. 이상입니다.

지원기관 :   직무 :

질문. 49   리더십을 가지고 문제를 해결했던 경험이 있나요?

유사질문.   문제 해결을 위해 팀을 이끌었던 경험이 있나요?
             어려움을 해결하기 위해 앞장섰던 때를 설명해보세요.

대본.

질문. 50   업무 프로세스나 절차를 개선한 사례가 있을까요?

유사질문.   작업 환경에서 프로세스 개선을 구현한 적이 있습니까?
             본인이 속한 조직에서 절차를 간소화한 예를 들어주실 수 있나요?

대본.

질문. 51   환자가 약 복용을 거부하는 상황을 어떻게 처리하시겠습니까?

상황질문.

대본.

상황 질문

지원기관 : 서울성모병원   *직무 :* 간호조무

질문. 52   환자의 상태가 갑자기 악화되는 것을 발견하면 어떻게 하시겠습니까?

> **대본.**
>
> 1. 즉각적인 알림 : 환자의 상태가 악화되면 즉시 응급 벨을 누르고 가까운 의료진에게 도움을 요청합니다.
> 2. 응급 처치 : 의료진이 도착하기 전까지 기본적인 응급 처치를 시행합니다. 예를 들어, 환자의 기도 확보, 심폐소생술(CPR) 실시 등의 응급 처치를 제공합니다.
> 3. 상태 모니터링 : 의료진이 도착한 후에도 환자의 상태(호흡, 맥박, 혈압 등)를 지속적으로 모니터링하고, 변화가 있는지 주의 깊게 관찰합니다.
> 4. 상세한 보고 : 환자의 상태 악화 전후의 상황(환자의 증상, 발생 시간, 이미 취한 조치 등)을 의료진에게 정확한 정보를 제공합니다.
> 5. 기록 유지 : 사건 발생 후, 모든 상황과 조치를 상세히 기록하여 의료 기록에 포함합니다. 이를 통해 추후 상황을 분석하고, 개선 방안을 마련할 수 있습니다. 예시: 사건 발생 시간, 환자의 증상, 취한 조치, 의료진 도착 시간 등

질문. 53   적절한 위생 지침을 따르지 않는 동료를 만난다면 어떻게 처리하시겠습니까?

> **대본.**
>
> 1. 즉각적인 조치 : 상황을 신속하게 파악하고, 적절한 행동을 취할 수 있도록 바로 조치합니다.
> 2. 개인적인 대화 : 자존심이 상하지 않도록 개인적으로 조용히 대화를 나누어 갈등을 피합니다.
> 3. 팀 리더나 상급자에게 보고 : 동료가 반복적으로 위생 지침을 따르지 않는 경우, 팀 리더나 상급자에게 보고하여 문제가 더 확대되지 않도록 합니다.

질문. 54   두 명의 환자가 동시에 긴급 치료가 필요한 상황을 어떻게 관리하시겠습니까?

> **대본.**
>
> 1. 상황 평가 : 먼저 두 환자의 상태를 신속하게 평가하여 긴급도와 중증도를 파악합니다. 예를 들어 두 환자 모두 심각한 상태이지만, 한 환자가 호흡 곤란을 겪고 있다면 우선적으로 그 환자에게 응급 처치를 제공합니다.
> 2. 도움 요청 : 즉시 동료 의료진에게 도움을 요청합니다. 팀원들이 각 환자에게 분배되어 동시에 처치가 이루어질 수 있도록 합니다. 예를 들어 한 팀원이 호흡 곤란을 겪는 환자에게 CPR을 실시하는 동안, 다른 팀원은 또 다른 환자의 출혈을 제어합니다.
> 3. 의사소통 유지 : 팀원들과 지속적으로 의사소통하여 각 환자의 상태와 필요한 처치를 공유합니다.
> 4. 후속 관리 : 초기 응급 처치 후, 두 환자의 상태를 지속적으로 모니터링하고, 필요한 추가 치료를 제공합니다. 이후 환자의 상태를 기록하고, 상황을 분석하여 개선점을 찾습니다.

지원기관 :   직무 :

질문. 52   환자의 상태가 갑자기 악화되는 것을 발견하면 어떻게 하시겠습니까?

대본.

질문. 53   적절한 위생 지침을 따르지 않는 동료를 만난다면 어떻게 처리하시겠습니까?

대본.

질문. 54   두 명의 환자가 동시에 긴급 치료가 필요한 상황을 어떻게 관리하시겠습니까?

대본.

상황 질문

지원기관 : 부산대학교병원   *직무 : 간호조무*

질문. 55   아버지가 식사 중 사레에 걸려 기침을 하다 쓰러졌어요. 어떻게 대처할 건가요?

대본.

1. 상황 평가 : 즉시 아버지의 상태를 평가하여 기도가 막혔는지, 의식이 있는지 확인합니다.
2. 응급 처치 시작 : 아버지가 기도 폐쇄로 인해 호흡이 어려운 경우, 하임리히법(복부 밀어내기)을 실시하여 기도 폐쇄를 제거합니다.
3. 의식과 호흡 확인 : 아버지의 의식과 호흡을 다시 확인합니다. 여전히 의식이 없고 호흡을 하지 않는다면, 즉시 심폐소생술(CPR)을 시작합니다.
4. 도움 요청 : 응급 처치를 진행하는 동안, 주변 사람에게 도움을 요청하여 응급 의료 서비스(119)를 호출하도록 합니다.
5. 지속적인 처치 : 응급 의료팀이 도착할 때까지 심폐소생술을 지속합니다. 의료팀이 도착하면 상황을 설명하고, 인계합니다.

질문. 56   환자의 가족에게 좋지 않은 소식을 전해야 하는 상황에서는 어떻게 하시겠습니까?

대본.

환자 가족에게 나쁜 소식을 전하는 것은 일차적으로 주치의의 역할이기 때문에 저는 보조로서 할 수 있는 일을 설명하겠습니다.
1. 의사와의 조정 : 개인적이고 편안한 공간에서 가족과의 만남을 준비하기 위해 의사와 협력합니다.
2. 대화 중 지원 : 대화 중 가족에게 정서적 지원을 제공하고 개입 시기와 방법에 대해 의사의 지시를 받습니다.
3. 편안함과 공감 제공 : 가족들에게 공감과 위로를 제공하면서 질문을 받으면서 그에 대한 답변과 후속 조치를 제공합니다.
4. 추가 자원 제공 : 필요한 경우 사회 복지사, 상담사 등을 연결합니다.

질문. 57   환자의 가족이 기밀정보를 요청하면 어떻게 하시겠습니까?

대본.

1. 명확한 의사소통 : 가족에게 기밀 정보 보호의 중요성과 관련 정책을 설명하고, 이해를 돕기 위해 신중하게 소통합니다. 예) "죄송합니다만, 환자님의 기밀 정보를 보호하기 위해 개인정보 보호법과 병원 규정을 준수해야 합니다. 환자님의 동의 없이는 기밀 정보를 공유할 수 없습니다."
2. 환자의 동의 확인 : 환자가 의사결정을 할 수 있는 상태라면, 환자의 동의를 구합니다.
3. 대안 제시 : 상황이 복잡하거나 예외적인 경우, 상급자나 병원 관리팀과 상의하여 적절한 조치를 취합니다.
4. 문서화 : 환자의 기밀 정보 요청과 관련된 모든 상황과 조치를 기록하여 추후 참고할 수 있도록 합니다.

지원기관 :   직무 :

질문. 55   아버지가 식사 중 사레에 걸려 기침을 하다 쓰러졌어요. 어떻게 대처할 건가요?

대본.

질문. 56   환자의 가족에게 좋지 않은 소식을 전해야 하는 상황에서는 어떻게 하시겠습니까?

대본.

질문. 57   환자의 가족이 기밀정보를 요청하면 어떻게 하시겠습니까?

대본.

상황 질문

지원기관 : 삼성서울병원　　　*직무 :* 간호조무

질문. 58　　　팀 내 두 동료 간의 갈등을 어떻게 관리하시겠습니까?

대본.

1. 갈등 상황 파악 : 두 동료의 의견을 각각 듣고, 문제의 본질을 파악합니다.
2. 중립적인 태도 유지 : 공정하고 객관적인 자세를 유지하며 갈등을 조정합니다.
3. 해결책 모색 : 문제의 원인을 파악한 후, 두 동료와 함께 가능한 해결책을 논의하고, 상호 합의할 수 있는 방안을 찾습니다.
4. 합의 도출 : 상호 합의된 해결책을 도출하고, 이를 실행에 옮기도록 합니다. 필요 시 상급자의 도움을 요청하여 갈등 해결을 지원받습니다.
5. 후속 조치 : 갈등 해결 후에도 상황을 모니터링하고, 추가적인 문제가 발생하지 않도록 지속적으로 관리합니다.

질문. 59　　　문제를 빨리 해결하는 게 중요할까요? 정확히 해결하는 게 중요할까요?

대본.

사실 신속성과 정확성은 경우에 따라 달라질 수 있다고 생각합니다. 하지만 의료 현장에서는 그것보다도 우선해야하는 것이 환자의 안전과 치료의 질이라고 생각합니다. 즉, 속도와 정확성의 균형이 중요합니다.
　혹 저에게도 응급상황이 생긴 다면 최대한 환자가 즉각적인 치료를 받을 수 있도록 하면서도, 사건을 정확하게 문서화하고 적절한 후속 조치를 취하도록 하겠습니다. 이상입니다.

질문. 60　　　긴급 상황에 대처했던 사례가 있나요?

대본.

실습 중에 뇌출혈로 쓰러져 병원에 입원했던 할머니 한 분이 계셨습니다. 의식이 돌아오긴 하셨지만, 골다공증 등 여러 합병증으로 며칠은 침대에 누워계셔야 했습니다. 남편분께서 한결같이 옆에서 간호하셨는데 하루는 약을 받으러 잠시 자리를 비운 사이 할머니께서 화장실로 혼자 이동하시다가 넘어져 골반 고리에 골절이 생겼습니다.
　다행히 제가 지나가던 중 비명을 듣고 즉시 간호사와 의사에게 알렸고, 필요한 의료 처치를 받을 수 있도록 했습니다. 그 상황에서 제가 할 수 있는 일이 많지 않아서 약간 무력감을 느꼈지만, 이 경험을 통해 경계심과 신속한 대응의 중요성을 깨달았습니다. 이후 유사한 사건을 방지하기 위해 환자를 더 자주 확인하고, 이동 보조 기구를 손이 닿는 곳에 두는 등 추가적인 예방 조치를 취했습니다. 이상입니다.

지원기관 :   직무 :

질문. 58   팀 내 두 동료 간의 갈등을 어떻게 관리하시겠습니까?

대본.

질문. 59   문제를 빨리 해결하는 게 중요할까요? 정확히 해결하는 게 중요할까요?

대본.

질문. 60   긴급 상황에 대처했던 사례가 있나요?

대본.

지식 질문

질문. 61   나이팅게일을 알고 있나요?

대본.

네, 나이팅게일은 19세기 영국의 간호사로, 그녀를 '등불을 든 천사'로 칭합니다. 그녀는 크림전쟁 중에 영국 군대의 병사들을 돌보며 환경 위생과 간호 관리를 개선한 것으로 잘 알려져 있습니다. 그녀의 사랑과 헌신적인 노력은 어려운 상황에서도 환자의 복지를 최우선으로 여기고 의료 분야에 혁신을 가져온 것으로서 저에게 큰 영감을 주었습니다. 그녀의 이러한 노력은 간호조무사로서 환자 중심의 업무와 의료 혁신에 대한 중요성을 강조하며, 저 또한 그녀의 가치관을 준수하고자 합니다. 나이팅게일의 이상적인 모범을 따라가며 환자의 안락과 안전을 최우선으로 여기는 간호조무사로서의 역할을 수행하고자 합니다.

질문. 62   의료 시스템과 환자 치료 과정에 대한 귀하의 이해를 설명하십시오.

대본.

1. 환자 반응 관리 : 환자 환영, 병력 기록, 현재 건강 문제 이해
2. 환자 서비스 관리 : 환자 정보 분류
3. 치료 서비스 지원 관리 : 의료 서비스 제공자(의사, 간호사 등)가 환자 정보에 접근하도록 보장
4. 환자 상담 관리 : 치료 후 상담, 상담 로그 작성(환자 상담 세부 정보를 문서화)
* 간호조무사 업무
1. 외래환자 접수 및 안내: 환자의 체크인을 지원하고 적절한 진료과로 안내
2. 전화 예약 관리: 전화를 통한 약속 일정 및 문의 사항을 처리
3. 의료 장비 관리: 장비 세척 및 소독: 모든 의료 장비를 적절하게 소독하고 사용할 준비가 됐는지 확인
4. 환경 관리: 치료실 및 기타 장소의 깨끗하고 안전한 환경을 유지(침상 정리 등)
5. 업무 보조 및 환자 보조 : 의료 검사(체온, 맥박, 혈당 호흡 수 등 측정) 및 투약 업무 보조

질문. 63   환자의 권리에 대해 무엇을 알고 있으며 이를 어떻게 옹호합니까?

대본.

* 환자의 권리
1. 사전 동의에 대한 권리: 환자가 자신의 진단, 치료 옵션 및 잠재적 위험에 대해 명확한 정보를 받을 권리
2. 사생활 보호 및 기밀 유지에 대한 권리: 치료에 관여하는 승인된 개인에게만 공유 가능
3. 존엄성과 존중에 대한 권리: 환자의 배경이나 건강 상태에 관계없이 존중받고 대우받을 권리
4. 치료를 거부할 권리: 환자는 결과에 대해 충분히 알고 난 후 치료를 수락하거나 거부할 권리
5. 의료 기록에 접근할 권리: 환자가 자신의 의료 기록에 접근하여 정정을 요청할 수 있는 권리

* 옹호 활동
명확한 정보 제공, 기밀 유지, 존중하는 상호작용, 자율성 지원(치료에 대한 환자의 결정 존중), 기록 접근 촉진(환자가 의료 기록에 접근하고 정보를 이해할 수 있도록 지원)

지식 질문

지원기관 :   직무 :

질문. 61   나이팅게일을 알고 있나요?

대본.

질문. 62   의료 시스템과 환자 치료 과정에 대한 귀하의 이해를 설명하십시오.

대본.

질문. 63   환자의 권리에 대해 무엇을 알고 있으며 이를 어떻게 옹호합니까?

대본.

지식 질문

지원기관 : 인하대학교병원   직무 : 간호조무

질문. 64   의료 규정 및 준수에 대한 지식을 설명하십시오.

대본.

1. 환자 개인 정보 보호 및 기밀 유지(HIPAA)
2. 감염 통제 및 안전 기준 : 의료 관련 질병을 예방하기 위해 감염 통제, 작업장 안전, 의료 장비의 적절한 사용 및 유지 관리에 대한 프로토콜을 준수
3. 환자 권리 및 윤리 기준: 사전동의, 치료거부권, 존중받고 차별받지 않는 진료를 받을 권리 등 보장

* 규정 준수의 중요성
1. 환자 보호: 환자의 개인정보, 안전 및 권리를 보장
2. 신뢰 유지: 환자와 의료 서비스 제공자 간의 신뢰를 구축하고 유지
3. 법적 문제 방지: 의료 시설 및 전문가의 법적 결과를 방지
4. 품질 관리 보장: 일관되고 고품질의 관리를 제공

질문. 65   환자 이송 및 의뢰를 어떻게 처리합니까?

대본.

1. 평가 및 준비:
- 필요한 모든 의료 정보와 기록이 최신이고 정확하게 문서화되었는지 확인
- 수용 시설과 통신하여 환자 수용 능력과 준비 상태를 확인
2. 조정 및 의사소통:
- 환자와 그 가족에게 이송 과정에 대해 알리고 그들이 가질 수 있는 질문이나 우려 사항을 해결
- 환자의 안전하고 시기적절한 수송을 준비하기 위해 수송팀과 협력
3. 문서:
- 환자의 병력, 현재 치료 계획, 약물 및 특별 지침을 포함하여 포괄적인 이송 요약을 준비
- 모든 서류가 접수 시설로 안전하게 전달되었는지 확인

질문. 66   귀하는 감염관리 절차에 대해 어떻게 이해하고 있습니까?

대본.

1. 손 위생: 비누와 물로 손을 정기적으로 철저히 씻거나 알코올 기반 손 소독제를 사용합니다.
2. 개인 보호 장비(PPE) 사용: 감염원으로부터 보호를 위해 위험 수준과 노출 유형에 따라 장갑, 마스크, 가운, 보안경 등 적절한 PPE를 착용합니다.
3. 살균 및 소독: 병원균을 제거하거나 줄이기 위해 의료 기구와 표면을 적절하게 멸균 및 소독하는지 확인합니다.
4. 격리 예방조치: 전염병 환자에 대한 격리 절차를 시행하여 다른 사람에게 전파되는 것을 방지합니다. 여기에는 지정된 격리실을 사용하고 필요에 따라 접촉, 비말 및 공중 예방조치를 따르는 것이 포함됩니다.
5. 안전한 폐기물 처리: 사용한 바늘, 오염된 물질 등 의료 폐기물은 노출 및 오염 방지를 위해 지정된 용기에 올바르게 폐기합니다.

지식 질문

질문. 64   의료 규정 및 준수에 대한 지식을 설명하십시오.

대본.

질문. 65   환자 이송 및 의뢰를 어떻게 처리합니까?

대본.

질문. 66   귀하는 감염관리 절차에 대해 어떻게 이해하고 있습니까?

대본.

지식 질문

지원기관 : 서울대학교병원   *직무 :* 간호조무

질문. 67 　　　유행성결막염의 증상과 예방법은 어떻게 되나요?

대본.

증상으로는 가려움증, 분비물증가 ,눈의 통증, 눈부심, 이물감, 눈실핏줄터짐이 있습니다. 예방법으로는 환자와의 접촉을 삼가하며, 손을 씻는 것이 매우 중요합니다. 그리고 면역력을 향상시킬수 있는 과일, 채소, 물, 충분한 잠을 자는것입니다. 눈을 비비지 않으며 통증이 나타날 경우 안과에 가서 진료를 받습니다.

질문. 68 　　　백신의 원리에 대해 설명하세요

대본.

인간이 가지고 있는 면역 반응을 이용해 바이러스나 세균 등, 병원체와 싸우기 위한 물질을 말합니다. 신체의 면역 반응에서 선천성 면역과 후천성 면역으로 나누어집니다. 먼저 우리 몸의 백혈구 외부의 바이러스나 세균 등 대항하여 싸우는 것을 선천성 면역이라고 합니다. 반면 후천성 면역은 외부에서 들어오는 바이러스나 병원체를 항원으로 인식하고 항체를 만들어 몸을 보호하는 작용을 합니다.

질문. 69 　　　염증의 진행 과정을 간결하게 말해주세요

대본.

염증은 일반적으로 발적, 열감, 붓기, 통증 및 기능저하와 같은 다섯 단계를 포함합니다. 먼저, 발적 단계에서 싱처 또는 감염 부위 주변의 혈관이 확장히고 혈류가 증가하여 열간과 붉은 발저 부위가 현성됩니다. 다음으로, 열감은 염증 반응으로 인해 생기는 열의 증가를 나타내며, 부위가 따뜻해집니다. 이어서, 붓기 단계에서는 혈관 벽이 뚱뚱해지고 혈액 및 체액이 관련 부위로 누출됩니다.
　통증은 다음 단계로, 염증 부위에서 민감한 신경 말단이 자극되어 나타나며, 환자가 통증을 느끼게 됩니다. 마지막으로, 기능저하 단계에서는 염증 부위의 기능이 저하될 수 있으며, 이는 해당 부위의 움직임이 제한되거나 장애가 발생할 수 있습니다. 만약 염증이 심하게 악화되면, 세포와 조직의 손상이 발생하고, 때로는 생명에 영향을 미칠 수 있습니다.

지식 질문

지원기관 :   직무 :

질문. 67   유행성결막염의 증상과 예방법은 어떻게 되나요?

대본.

질문. 68   백신의 원리에 대해 설명하세요

대본.

질문. 69   염증의 진행 과정을 간결하게 말해주세요

대본.

지식 질문

질문. 70   **우리 몸에서 해독작용을 하는 기관은 어디인가요?**

대본.

간은 우리 몸에서 해독을 담당하는 주요 기관입니다. 혈류에서 독소, 약물 및 노폐물을 대사하고 제거하는 데 중요한 역할을 합니다. 건강한 간을 유지하기 위해서는 균형 잡힌 식단, 규칙적인 운동, 과도한 음주 피하기, 불필요한 약불 복용 금지 능이 필요합니다.

　황달, 피로, 복통 등 간 기능 장애의 증상이 인식되면 과일, 야채, 통곡물을 많이 섭취하는 등 간 건강을 지원하는 식이 식단을 주로 하고, 회복이 되지 않는 경우는 병원에서 전문가의 조언에 따라 적절한 투약 및 모니터링을 실시해야 합니다.

질문. 71   **수용성 비타민의 의미와 종류를 말해보세요.**

대본.

수용성 비타민은 물에 용해되는 비타민의 일종으로, 체내에 저장되지 않기 때문에 음식물을 통해 꾸준히 섭취해야 합니다. 이러한 비타민은 소변을 통해 쉽게 배출되므로, 지속적인 공급이 필요합니다.
* 수용성 비타민의 종류
- 비타민 B 복합체: 비타민 B1 (티아민), 비타민 B2 (리보플라빈), 비타민 B3 (나이아신), 비타민 B5 (판토텐산), 비타민 B6 (피리독신), 비타민 B7 (비오틴), 비타민 B9 (엽산/폴산), 비타민 B12 (코발라민)
- 비타민 C (아스코르빈산)

질문. 72   **지용성 비타민의 의미와 종류를 말해보세요.**

대본.

지용성 비타민은 식이 지방과 함께 흡수되어 신체의 지방 조직과 간에 저장되는 비타민 그룹입니다. 이러한 비타민은 다양한 신체 기능에 필수적이며 필요에 따라 방출됩니다. 4가지 주요 지용성 비타민이 있습니다.
- 비타민 A: 시력, 면역 기능 및 피부 건강에 중요합니다.
- 비타민 D: 칼슘 흡수와 뼈 건강에 중요합니다. 또한 면역 기능을 지원합니다.
- 비타민 E: 항산화제 역할을 하여 세포가 손상되지 않도록 보호합니다. 면역 기능과 피부 건강에도 중요
- 비타민 K: 혈액 응고 및 뼈 건강에 필수적입니다.

지원기관 :   직무 :

질문. 70   우리 몸에서 해독작용을 하는 기관은 어디인가요?

대본.

질문. 71   수용성 비타민의 의미와 종류를 말해보세요.

대본.

질문. 72   지용성 비타민의 의미와 종류를 말해보세요.

대본.

질문. 73   의료법과 간호법의 차이를 말해보세요.

대본.

의료법과 간호법은 그들의 범위와 적용 대상에 차이가 있습니다.

의료법은 포괄적인 법률로, 의료 서비스 제공, 의료 윤리, 의료 기록 보호 및 환자의 권리와 의무 등을 다루며, 모든 의료 전문가와 의료 기관에 적용됩니다. 의료법은 의사, 간호사, 의료 기술자 등 모든 의료 직종가 이류 기관에서 종사하는 모든 사람들을 다루는 포괄적인 법률입니다.

반면에, 간호법은 간호 인력에 관한 내용을 독립적으로 규정하는 법률입니다. 이 법은 간호사 및 간호조무사와 같이 간호 전문가에 해당하는 사람들과 관련이 있습니다. 간호법은 간호 인력의 근무 범위, 규제, 교육 및 라이센스에 대한 내용을 다루며, 간호사 및 간호조무사의 역할과 책임을 명확히 합니다.

요약하면, 의료법은 의료 분야 전체에 대한 법률이며, 간호법은 간호 전문가에 해당하는 사람들에 대한 법률입니다.

질문. 74   권역외상센터에 대해 아는대로 말해보세요.

대본.

일반 응급실에서 처치 범위를 넘어서는 총상, 다발성 골절, 출혈환자(중증외상환자)의 병원 도착 즉시 응급 수술 및 치료를 실시할 수 있는 시설, 장비, 인력을 말합니다. 외상환자 전용 중환자 병상 및 일반 병상, 전용 수술실, 치료실, 전담 전문의 그 밖에 외상환자의 진료에 필요한 인력과 시설, 장비 등이 갖춰져야 합니다.

질문. 75   응급 전문 간호조무사와 일반 간호조무사의 차이점?

대본.

응급 전문 간호조무사는 응급 상황에서 환자를 신속하게 평가하고 처치하여 생명을 구할 수 있도록 훈련받았으며, 응급 의료 상황에서 일합니다. 생명 구조 조치, 기본 생명 지원, 응급 처치 등이 주요 업무입니다. 일반 간호조무사는 환자의 일반적인 간호 및 치료에 특화되어 있으며, 응급 상황보다는 환자의 장기적인 치료 및 관리에 중점을 둡니다. 환자 관찰, 약물 관리, 의료 기록 작성 및 상담 등이 주요 업무입니다.

지원기관 :   직무 :

질문. 73 의료법과 간호법의 차이를 말해보세요.

대본.

질문. 74 권역외상센터에 대해 아는대로 말해보세요.

대본.

질문. 75 응급 전문 간호조무사와 일반 간호조무사의 차이점?

대본.

지식 질문

지원기관 : 가천대길병원   *직무 :* 간호조무

질문. 76   전염병에 걸린 환자를 발견하면 어떻게 해야 하나요?

대본.

1. 환자의 분리 및 보호: 다른 환자들로부터 분리 후 환자의 안전을 위해 마스크와 같은 보호구 착용
2. 의료진 및 상급자 통보: 바로 의료진 상급자에게 알리고, 즉시 의료 평가와 진단을 받을 수 있도록 도움
3. 전염병의 종류에 따른 조치: 의약품 치료, 백신, 환자의 관리 방법 등의 조치
4. 환자 대응: 액체 공급, 적절한 의약품 투여, 신체 온도 모니터링 등의 조치
5. 감염 통제 및 보호 대책 준수: 개인위생 및 보호구 착용, 침습적 의료 조치 등 안전한 방법으로 수행
6. 환자의 측면에서의 상담: 환자와 가족에게 상황을 설명하고, 진료 과정과 치료 계획에 대한 정보를 제공

질문. 77   병원에 불이 나면 어떻게 해야 하죠?

대본.

* 즉각적 조치(R.A.C.E.)
R - 구조: 위급한 위험에 처한 환자나 개인과 스스로 움직일 수 없는 사람을 우선적으로 구출
A - 알람: 화재 경보기를 활성화. 긴급 전화번호로 신고 후 화재 위치와 규모에 대한 세부정보를 제공
C - 포함: 화재를 진압하고 확산을 방지하기 위해 문과 창문을 닫기
E - 소화 또는 대피: 화재 규모가 작은 경우 소화기로 소화를 시도, 규모가 큰 경우는 즉시 대피
* 소화기(P.A.S.S.) 사용
P - 핀을 당겨 봉인을 해제합니다.
A - 불이 붙은 부분에 노즐을 조준합니다.
S - 핸들을 꽉 쥐어 소화제를 방출합니다.
S - 불이 꺼질 때까지 불의 근원지에서 노즐을 좌우로 쓸어냅니다.

질문. 78   활력징후를 측정하고 기록하는 과정을 설명해주세요.

대본.

이 과정은 체온, 맥박, 호흡, 혈압의 4가지 주요 활력 징후를 평가하는 과정이 포함됩니다.
1. 온도 : 적절한 온도계(구강, 고막, 겨드랑이 또는 직장)를 사용하여 환자의 체온을 측정
2. 맥박 : 요골 동맥을 촉진하거나 전자 모니터를 사용하여 환자의 심박수를 측정
3. 호흡 : 환자에게 알리지 않고 가슴의 상승과 하강을 관찰 후 차트에 호흡률을 분당 호흡수(bpm)로 기록
4. 혈압 : 혈압계와 청진기, 자동혈압계를 이용하여 환자의 혈압을 측정

지식 질문

질문. 76   전염병에 걸린 환자를 발견하면 어떻게 해야 하나요?

대본.

질문. 77   병원에 불이 나면 어떻게 해야 하죠?

대본.

질문. 78   활력징후를 측정하고 기록하는 과정을 설명해주세요.

대본.

지원기관 : 서울성모병원   *직무 :* 간호조무

질문. 79   병상에 누워 있는 환자의 욕창을 예방하기 위해 어떤 조치를 취합니까?

대본.

욕창은 피부, 특히 뼈가 있는 부위에 장기간 압력때문에 발생하며 혈류 감소 및 조직 손상을 초래합니다.
1. 정기적인 재배치 : 한 부위의 압력을 완화하기 위해 적어도 2시간마다 환자의 위치를 변경
2. 지원 장치 사용 : 뼈가 있는 부분과 매트리스 사이에 쿠션이나 베개를 놓아 압력을 고르게 분산
3. 피부 관리 : 발뒤꿈치, 팔꿈치, 엉덩이, 선골 등 위험도가 높은 부위에 초짐을 맞춰 정기적인 검사 실시
4. 영양 및 수분공급 : 단백질, 비타민(특히 A, C, E) 및 미네랄이 풍부한 균형 잡힌 식단과 수분 섭취
5. 가동 범위 운동: 순환을 개선하고 관절 유연성을 유지하기 위해 가동 범위 운동을 지원
6. 보호 드레싱 사용 : 보호 드레싱을 고위험 부위에 적용하여 마찰과 압력에 대한 추가 보호 층을 제공
7. 팀 커뮤니케이션: 즉각적인 조치를 위해 환자의 상태 대해 의료팀과 정기적으로 소통

질문. 80   일반 의료 응급 상황의 종류와 대응책을 말해보세요.

대본.

의료 응급 상황은 심정지, 뇌졸중, 과다 출혈, 아나필락시스, 질식, 심장마디, 저혈당 등이 있습니다.
1. 심정지 : 발생 즉시 응급 의료 지원을 요청하고, 흉부압박과 구조호흡을 통해 심폐소생술(CPR) 실시
2. 뇌졸중 : 발생 즉시 응급 의료 지원을 요청하고, 활력 징후 모니터링
3. 과다 출혈 : 발생 즉시 응급 의료 지원을 요청하고, 붕대를 사용하여 상처에 직접 압력을 가하기
4. 아나필락시스(알레르기 반응) : 발생 즉시 응급 의료 지원을 요청, 에피네프린 투여 후 호흡 모니터링
5. 발작 : 발생 즉시 응급 의료 지원을 요청, 환자의 머리를 보호하며 안전 확보 후 모니터링
6. 질식 : 발생 즉시 응급 의료 지원을 요청, 기침 장려. 그게 어렵다면 하임리히법 수행
7. 심장마비 : 발생 즉시 응급 의료 지원을 요청, 환자를 침착하게 앉거나 누워 있게 유지
8. 저혈당증(저혈당) : 발생 즉시 응급 의료 지원을 요청, 포도당 정제, 주스, 사탕 등 속효성 설탕 등 제공

"속도의 차이는 목표의 차이다."

지식 질문

지원기관 :   직무 :

질문. 79 병상에 누워 있는 환자의 욕창을 예방하기 위해 어떤 조취를 취합니까?

대본.

질문. 80 일반 의료 응급 상황의 종류와 대응책을 말해보세요.

대본.

"속도의 차이는 목표의 차이다."

기타 질문

질문. 81   좋은 죽음은 무엇이라고 보시나요?

대본.

좋은 죽음은 존엄성과 최소한의 고통으로 이루어지며, 환자의 소원에 따라 이루어지는 거라고 생각합니다. 이를 위해서 포괄적인 통증 관리, 정서적 지원, 명확한 의사소통 및 환자와 가족의 필요와 선호를 존중하는 것이 필요합니다.

구체적인 방법으로는 약물 및 치료법을 사용하여 환자가 편안하게 지낼 수 있도록 하는 것이나 환자의 사전 지시서, 유언장 및 치료 옵션과 죽음의 장소에 대해 표현된 선호를 존중하는 것 등이 있습니다.

질문. 82   최근 한국의 의료정책 변화에 대해 어떻게 생각하시나요?

대본.

최근에 강릉시가 농어촌 의료취약 지역을 대상으로 원격 의료 서비스를 확대한다는 내용의 기사를 본 적이 있습니다. 해당 서비스는 공중보건의가 배치되지 않은 지역에만 제공되며 만성 질환자가 원격 진료를 원하는 경우 보건지소에서 화상으로 의사 진료를 받을 수 있다고 합니다. 이러한 원격 진료 서비스는 의료 서비스의 효율성과 편의성을 높일 수 있을 것으로 기대되지만, 기술적 문제나 데이터 보안 문제, 규제 및 상환 문제 등 여러 제한이 있습니다. 따라서 여러 개선점을 지혜롭게 풀어나가면서 모두에게 이익이 되는 결과를 도출해야 한다고 생각합니다.

질문. 83   COVID-19(코로나) 팬데믹은 한국의 의료 관행에 어떤 영향을 미쳤나요?

대본.

한 가지 주요 변화는 원격 의료의 급속한 도입이었습니다. 환자가 의사와 원격으로 상담할 수 있어 감염 위험을 줄이는 데 도움이 되었습니다. 또한, 병원에서는 정기적인 시설 및 장비 소독, 마스크 착용 의무화, 사회적 거리 두기 조치 등 더욱 엄격한 위생 프로토콜을 시행하고 있습니다. 팬데믹은 또한 정신 건강 관리의 중요성을 강조하여 스트레스와 불안을 다루는 환자와 의료 종사자 모두에 대한 지원과 자원을 증가시켰습니다.

팬데믹은 인류에게 큰 재앙이었지만, 결과적으로는 의료 분야의 기술 채택을 가속화했으며 유연하고 탄력적인 의료 시스템의 필요성을 강조했습니다. 이러한 변화는 환자 치료를 개선하고 미래의 어려움에 맞서 의료 시스템을 더욱 강력하게 만들었다고 생각합니다.

기타 질문

지원기관 :   직무 :

질문. 81   좋은 죽음은 무엇이라고 보시나요?

대본.

질문. 82   최근 한국의 의료정책 변화에 대해 어떻게 생각하시나요?

대본.

질문. 83   COVID-19(코로나) 팬데믹은 한국의 의료 관행에 어떤 영향을 미쳤나요?

대본.

기타 질문

질문. 84   **현재 한국 의료 시스템이 직면한 과제는 무엇인가요?**

대본.

한국 의료 시스템이 직면한 주요 과제 중 하나는 지역 간 의료 불균형 문제라고 생각합니다. 수도권과 지방간의 의료 인프라 차이가 크기 때문에, 지방에서는 적절한 의료 서비스를 받기 어려운 경우가 많습니다. 이러한 불균형은 치료 지연과 열악한 건강 결과로 이어질 수 있습니다.

이 불균형을 해결하기 위해서는 부족한 지역에 의료 인프라를 개선하고, 의료 전문가들이 이러한 지역에서 근무할 수 있도록 인센티브를 제공하며, 의료 시설에 대한 투자를 늘리고, 할 수 있다면 제도를 개선해서 원격 진료를 도입하여 격차를 해소해야 한다고 생각합니다. 이상입니다.

질문. 85   **전공의들의 집단 진료 거부 사태에 대해 어떻게 생각하시나요?**

대본.

정부의 의과대학 정원 확대에 대한 반발로 전공의들이 진료를 거부하는 것은 의료계 내부의 큰 불만과 우려를 반영한다고 생각합니다. 의료 인력이 부족한 지역에서 의료 인력 문제를 해결하려는 목표라고 하지만 대책과 협의 없이 진행되었기에 일어난 반발이라고 생각합니다. 하지만 전공의들의 의료 공백으로 의료 교육의 질 저하와 환자 진료의 장기적 영향에 대한 걱정이 큰 것이 사실입니다. 정부와 의료 전문가들이 이러한 우려를 해결하기 위해 열린 대화를 통해 문제를 해결하는 것이 무엇보다도 중요하다고 생각합니다. 이상입니다.

질문. 86   **의료진 부족 문제를 해결하기 위해 어떤 대책이 필요할까요?**

대본.

1. 농촌 근무 인센티브 : 재정적 인센티브, 주거 제공, 경력 개발 기회를 제공하여 의료 전문가들이 의료 인프라가 부족한 지역에서 근무하도록 유도합니다.
2. 근무 환경 개선 : 근무 환경을 개선하고 번아웃을 줄이며 의료 인력을 유지하기 위한 지원 서비스를 제공합니다.
3. 기술 투자 : 원격 진료 등 기술을 활용하여 기존 의료 인력의 범위를 확장합니다.
4. 정부와 민간 부문의 협력 : 정부와 민간 부문 간 협력을 통해 혁신적인 솔루션을 개발하고 의료 인프라에 투자합니다.
5. 농어촌 전형 인원 확대 : 지방 의과대학의 농어촌 전형 인원을 확대하는 대신 일정 기간 동안 병원에서 근무하도록 조건을 설정합니다.

지원기관 :   직무 :

질문. 84   현재 한국 의료 시스템이 직면한 과제는 무엇인가요?

대본.

질문. 85   전공의들의 집단 진료 거부 사태에 대해 어떻게 생각하시나요?

대본.

질문. 86   의료진 부족 문제를 해결하기 위해 어떤 대책이 필요할까요?

대본.

기타 질문

질문. 87　　최근 읽었던 의료 관련 기사가 있다면 그 내용과 본인의 생각을 말해보세요.

대본.

최근에 척수 손상 환자에게 줄기세포 치료가 성공적으로 적용된 사례에 대한 기사를 읽었습니다. 환자는 허리 아래가 마비된 상태였지만 손상 부위에 줄기세포를 주입한 후 운동 기능과 감각이 크게 개선되었다고 들었습니다. 예전에 황우석 박사의 가짜 논문 논란으로 회의적인 시선도 있었지만, 이 기사를 본 이후로 줄기세포 치료가 손상된 조직을 재생하고 환자의 삶의 질을 향상시킬 수 있는 점에서 희망을 볼 수 있었습니다. 이상입니다.

질문. 88　　인공지능과 로봇이 의료계에 미치는 영향에 대해 어떻게 생각하세요?

대본.

첫째로, AI 기반의 의료 이미지 해석, 진단 지원 도구, 환자 모니터링 시스템, 의료 기록 관리 등은 의료진에게 빠르고 중요한 정보를 제공하고 진료 결정을 지원합니다.

둘째로, 인공지능은 의료 분야에서 의사와 간호사의 업무를 보조하며, 업무 부담을 줄일 수 있습니다. 이로써 의료 전문가들은 더 많은 시간을 환자와의 상호작용, 진단 및 치료에 집중할 수 있습니다.

세 번째로, 인공지능은 의료 데이터 분석을 통해 질병 예방과 조기 진단에 도움을 줄 수 있습니다.

그러나 인공지능이 의료에 미치는 악영향 또한 고려해야 한다고 생각합니다. 데이터 보안과 개인정보 보호 문제, 윤리적 고민, 그리고 기술의 신뢰성 등입니다.

따라서, 급한 인공지능의 기술 온전한 도입보다는 적절한 속도로 피드백 과정을 거치며 적절하게 활용하는 과정을 거쳐야 한다고 생각합니다.

질문. 89　　최근 의료 사고가 많이 일어나고 있는데 어떻게 대처하면 좋을까요?

대본.

1. 교육과 훈련을 통한 예방 : 모든 의료진이 최신의 모범 사례와 프로토콜을 숙지할 수 있도록 교육 실시
2. 표준 운영 절차(SOPs): 모든 의료 절차에 대한 SOP를 개발하고 엄격히 준수함으로써 오류를 최소화
3. 익명 보고 시스템 : 직원들이 처벌에 대한 두려움 없이 근접 사고 및 오류를 보고할 수 있는 문화를 조성
4. 신속 대응 시스템 : 의료 비상 상황에 대응하기 위한 신속 대응 팀(RRT) 구성
5. 정기 감사 : 의료 절차와 결과에 대한 정기적인 감사를 통해 개선할 영역을 식별

기타 질문

지원기관 :   직무 :

질문. 87   최근 읽었던 의료 관련 기사가 있다면 그 내용과 본인의 생각을 말해보세요.

> 대본.

질문. 88   인공지능과 로봇이 의료계에 미치는 영향에 대해 어떻게 생각하세요?

> 대본.

질문. 89   최근 의료 사고가 많이 일어나고 있는데 어떻게 대처하면 좋을까요?

> 대본.

기타 질문

지원기관 : 인하대학교병원   *직무 :* 간호조무

질문. 90　　　　최근 남성 간호조무사가 점차 증가하는 추세인데 이를 어떻게 생각하시나요?

대본.

1. 다양성과 포용성 : 환자와의 상호 작용과 문제 해결에 다른 접근 방식을 취할 수 있어 소통이 유리
2. 인력 부족 문제 해결 : 응급실처럼 신체적 능력이 많이 필요한 분야에서 의료 서비스 제공 용이
3. 환자 편안함 증대 : 민감한 문제로 남성 간호조무사와 논의하는 것을 선호하는 환자들에게 유리

즉, 성별이 혼합된 팀은 의료 환경 내에서 협력과 소통을 강화함으로써 다양한 관점과 경험이 더 역동적이고 효과적인 팀에 기여할거라 생각합니다.

질문. 91　　　　의료개혁특별위원회가 무엇인가요?

대본.

의료개혁특별위원회는 의료 분야의 개혁을 위해 만들어진 위원회로, 의료계와 정부 등 다양한 기관과 전문가들이 참여하여 의료 시스템 개선과 발전을 위한 방안을 모색하고 추진하는 역할을 합니다.
1. 의료시스템 개선 : 의료 인력 부족 문제 해결, 의료 시설 인프라 구축, 의료 서비스 질 향상 등
2. 의료산업 발전 : 의료 기술 개발, 의료기기 산업 육성, 바이오헬스 산업 지원 등
3. 의료정책 수립 : 의료보험 제도 개선, 의료 규제 완화, 의료법 개정 등

질문. 92　　　　한국의 정신건강 서비스 현황에 대해 어떻게 생각하시나요?

대본.

1. 보건소 정신건강복지센터 : 정신건강 상담, 치료비 지원, 재활 프로그램 운영 등의 서비스를 제공합니다.
2. 국립정신건강센터 : 정신건강 연구, 교육, 치료 등의 서비스를 제공합니다.
3. 자살예방센터 : 자살 예방 교육, 상담, 위기 개입 등의 서비스를 제공합니다.
이 기관들이 존재하지만 국민들의 활용도는 그리 높지 않은 것으로 알고 있습니다. 그리고 그 이유가 정부의 예산과 인력 부족으로 인해 충분한 서비스를 제공하지 못하고 있다는 점도 있지만, 정신건강 문제에 대한 인식 부족으로 많은 사람들이 서비스를 받지 못하는 경우 또한 많이 있습니다.
　따라서 정신건강 서비스를 제공하는 기관들의 예산을 증액하여 보다 나은 서비스를 제공할 수 있도록 해야 하는 것과 동시에 국민들이 정신건강 문제에 대한 인식을 개선하여 더 적극적으로 문제를 인식하고 도움을 받기 위한 노력을 지역사회와 협력해야 한다고 생각합니다.

기타 질문

질문. 90   최근 남성 간호조무사가 점차 증가하는 추세인데 이를 어떻게 생각하시나요?

대본.

질문. 91   의료개혁특별위원회가 무엇인가요?

대본.

질문. 92   한국의 정신건강 서비스 현황에 대해 어떻게 생각하시나요?

대본.

기타 질문

질문. 93   한국 의료 시스템에서 인구 노령화 문제를 어떻게 해결하고 있나요?

> **대본.**
>
> 노인 전용 의료 시설 확대, 의료 기술 개발, 건강보험제도 개선, 노인 복지 정책 강화 등의 노력을 하고 있습니다. 하지만 노인들의 이농 편의성 확보의 어려움, 건강 증진 프로그램의 부족, 노인들의 가족 지원 부족, 지역사회화의 협력 부족 문제점도 적지 않아 구체적이고 체계적인 대응 전략이 필요하다고 생각합니다.

질문. 94   최근 한국의 의학 연구나 발견이 환자 치료에 어떤 영향을 미쳤나요?

> **대본.**
>
> 유전자 검사는 DNA 검사를 통해 보통 조상 찾기, 범죄자 수색, 실종자 수색, 친자확인 등을 위해 많이 쓰여 왔습니다. 하지만 최근에는 이를 통해 특정 질병 위험도 부모, 친자 확인, 진단, 치료 등을 위해 활용하는데 많이 쓰인다고 합니다. 또한, 요즘에는 국민이 직접 의료기관에 갈 필요 없이 스스로 직접 검사 키트를 사용해 유전자검사를 할 수도 있습니다.

질문. 95   간호조무사로서 버려야 할 자세는 무엇일까요?

> **대본.**
>
> 간호조무사로서 안주하거나 무관심한 태도를 버리는 것이 중요하다고 생각합니다. 의료 환경은 지속적인 경계, 동정심, 적극적인 치료를 요구하기 때문입니다. 환자는 병원에 온 순간부터 저희에게 의존하므로 계속 참여하고 세심하며 주의를 기울이는 것이 중요합니다. 또한, 의료진과의 협력이 중요하기 때문에 필요할 때 지침이나 지원을 구하는 것은 환자의 안전을 보장하고 전반적인 치료 품질을 향상시킨다고 생각합니다. 이상입니다.

기타 질문

질문. 93 한국 의료 시스템에서 인구 노령화 문제를 어떻게 해결하고 있나요?

대본.

질문. 94 최근 한국의 의학 연구나 발견이 환자 치료에 어떤 영향을 미쳤나요?

대본.

질문. 95 간호조무사로서 버려야 할 자세는 무엇일까요?

대본.

기타 질문

질문. 96   국민 의료비의 증가 요인이 무엇일까요?

대본.

> 1. 인구 고령화 : 노인 인구가 증가하면서 의료 서비스 수요가 증가했고, 이로 인해 의료비 지출이 증가하게 됩니다.
> 2. 건강보험 적용 대상 확대 : 건강보험 적용 대상이 확대되면서 의료 서비스 이용이 증가하게 되고, 이에 따라 의료비 지출이 증가하게 됩니다.
> 3. 의료기술 발전 : 새로운 의료기술이 개발되고 보급되면서 의료 서비스 비용이 증가하게 됩니다.

질문. 97   건강의 정의는 무엇인가요?

대본.

> WHO(세계보건기구)에 따르면 "건강이란 단순히 질병이 없고 허약하지 않을 뿐만 아니라 신체적, 정신적, 사회적으로 안녕한 완전 물결한 상태."라고 정의하고 있습니다.

질문. 98   의료진은 왜 소아과를 기피할까요?

대본.

> 소아과는 다른 부서보다 업무 강도가 2.4배 높고, 소아 환자의 진단 및 치료가 성인 환자보다 더 어려우며 분쟁의 가능성이 높습니다. 또한, 업무 강도에 비해 보상이 가장 낮기 때문에 소아과를 기피하는 경향이 있습니다.

기타 질문

질문. 96 국민 의료비의 증가 요인이 무엇일까요?

대본.

질문. 97 건강의 정의는 무엇인가요?

대본.

질문. 98 의료진은 왜 소아과를 기피할까요?

대본.

기타 질문

지원기관 : *신촌세브란스병원*   **직무** : *간호조무*

질문. 99   **본인의 좌우명이 무엇일까요?**

대본.

저의 좌우명은 '나보다 먼저'입니다. 이 직무를 선택한 순간부터 환자의 안녕과 건강을 최우선으로 생각하며 지속적으로 기술을 향상시키는 것이 저와 환자와 병원을 위하는 일이라 생각했습니다. 아직 배울 것이 많지만, 간호조무사로서 초심을 잃지 않고, 의료진과 발맞추어 보조 업무에 최선을 다하겠습니다. 감사합니다.

질문. 100   **인간 복제에 대한 설명과 장점 그리고 문제에 대해 말해볼래요?**

대본.

인간 복제는 유전적 동일성을 가진 인간을 생성하는 기술입니다. 이는 주로 체세포 핵 치환(SCNT)을 통해 수행됩니다.

 이 기술은 맞춤형 장기 생성, 유전 질환 연구, 불임 치료에 있어 도움을 줄 수 있지만 윤리적 논란이나 기술적 결함 등 많은 문제를 야기할 수 있습니다. 따라서 장점만 보고 바로 상용화하기에는 짚고 넘어가야 할 문제가 많다고 봅니다.

기타 질문

질문. 99   본인의 좌우명이 무엇일까요?

대본.

질문. 100   인간 복제에 대한 설명과 장점 그리고 문제에 대해 말해볼래요?

대본.

직업계고(특성화고, 마이스터고)를 위한 **면접완성100** 간호조무사 편

발 행 | 2024년 7월 2일
저 자 | 김동원
펴낸이 | 한건희
펴낸곳 | 주식회사 부크크
출판사등록 | 2014.07.15(제2014-16호)
주 소 | 서울특별시 금천구 가산디지털1로 110 SK트윈타워 A동 305호
전 화 | 1670-8316
이메일 | info@bookk.co.kr

ISBN | 979-11-410-9206-1

www.bookk.co.kr
ⓒ 김동원 2024
